日本人奴隷化計画

【完了の日】

今こそ大和民族の使命を識り
白い悪魔を無力化せよ

山口敏太郎
飛鳥昭雄

明窓出版

まえがき

山口敏太郎

現在、わが国において、権力を握っている連中が日本を滅ぼそうとしている。増税・不当な法改正等多くの法令や法律で国民を締め付けている。

仮にも国民の代表であるならば、日本国民を幸せにするために働くべきである。それがどうだろうか、ここ数十年の政治の動きを見ていても、国民を不幸にするばかりである。一体何を考えているのだろうか？

当然、アメリカやイギリスの無言の圧力があるのは理解できる。逆らうと日本の政治家は暗殺やスキャンダルで表舞台から姿を消してしまうからだ。

だが、それにしても志のない人間ばかりが権力を握る構造が続いている。彼らは基本的に、一般庶民がどうなってもかまわないと思っているのに間違いない。日本国民の幸せよりも、自分や自分の肉親たちの利益になることしか考えてはいない。

我々庶民は、明治維新以降、のし上がった新・貴族階級（政治家、一流企業の代表）たちの単なる奴隷にしか過ぎないのだ。しかも、その奴隷は、自分が奴隷であることに気がつかない。法の下に平等な現代人ライフを送っていると思い込んでいるのだ。

彼ら新・貴族階級の連中としては、アメリカやイギリスの白人階級及び経済富裕層と、同様の地位につきたいだけなのだ。彼らは、世界の経済を握る上位３％の富裕層の仲間入りをしたつもりなのであろうか。

いや、決してそれは違う。白人階級はあくまで白人だけであって、いくら金を稼いでもいくら貢いでも所詮、有色人種は有色人種に過ぎない。お金を搾り取るだけ搾り取られて捨てられるのが関の山である。我々有色人種は、結局、白色人種とわかり合えることがないのだ。

これからの21世紀、我々日本人はどうやって立ち振る舞うべきであろうか。

我々の祖国・日本文化の良きポイント、日本人の美徳、日本社会の相手を尊重するコミュニケーションなどを理解し、世界に向けて少しずつ発信すべきである。

そして、この４００年以上続いた白人優位の地球運営をひっくり返すべきである。かつて我々の先祖が、アジアの独立を目指して大東亜戦争を戦ったように、静かなる闘いをやるべきである。

そして、本当に地球自体が日本人の思いやりにあふれた世界になったとき、我々日本人の本当の評価が行われる時代が来るであろう。

日本人奴隷化計画【完了の日】

今こそ大和民族の使命を識り白い悪魔を無力化せよ

パート1

日本の未来予測
――「大難を小難に」できるのか

日ユ同祖論をあらためて考える

山口　今回はまず、日ユ同祖論について語り合いたいと思います。先日、徳島ツアーをやったんですよ。ライブも開いたんですが、60人くらい集まりました。

飛鳥　知っています。あんな山間部の僻地に、よくあれだけたくさんの人を集めたものですね。会場は山奥で、車でしか行けないようなところでしょう？　しかも夜の開催。どんな仕掛けをしたんですか？

山口　別に、特別なことはなにもしていません。告知なども普段どおりで、普通に集まってもらえました。

そのツアーの参加者が教えてくれたのですが、淡路島の、あるホテルの中庭には、ユダヤの古代の遺跡があるそうですね。

飛鳥　行ったことありますよ。

山口　その参加者も、飛鳥先生が取材をされたと教えてくれました。

飛鳥　淡路島には、大きな橋が二本あるでしょう。四国と本州に架かっている橋です。本州側は兵庫県と結んでいるのですが、神戸には某組織があるんです。その組織には二派があって、一派は淡路島が拠点となっており、淡路島は日本から独立すると昔から言っています。ちゃんと論文まで出しているのです。それがなんと、天皇陛下が淡路島にいらしたら拉致して、橋を両方落とし、淡路島に閉じ込めるという計画を持っているのです。

それで独立を宣言するという、とんでもない話ですね。

山口　それと日ユ同祖論は、なにか関係があるのですか？

飛鳥　ひょっとしたらユダヤが独立した頃の、マサダ（＊第一次ユダヤ戦争の遺跡で、イスラエル東部、死海西岸近くにある城址。「マサダ」とはヘブライ語で「要塞」の意）の砦みたいにしたいのかなと思っていますが。それに近いものを感じるのですね。
もちろん、こういう発言をしているのはごく一部の人で、淡路島の人全てが考えているわけではありません。

山口　日ユ同祖論について、マスコミはあまり取り扱わないんですよね。徳島新聞でも、一切触れないんですよ。

飛鳥　徳島に、日ユ同祖論を主張している高齢女性がいるんです。この方は過激論者で、日本人で戦後初期の頃に日ユ同祖論を主張した人なんですよ。

山口　そうなんですか。四国には、古代ユダヤ様式の墓があるんですよ。
さらに、出雲大社の元になった神社があったり、伊勢神宮の元である神社もあったり。

飛鳥　四国全土にあるよね。

山口　これって、おかしいですよね。

飛鳥　おかしい、おかしい。

山口　同じものが移植されているわけですね。
　それから、徳島には卑弥呼の墓もあります。

飛鳥　八倉比売《やくらひめ》神社の横を抜けた奥にある五角形の祭壇が有名ですが、四国には、五角形が多いんですよ。神社に五角形の柱が立っていたりと、当たり前に存在しています。

山口　ユダヤとの関連が感じられますよね。

飛鳥　ユダヤ教では、五芒星が重要だからね。イスラエルに行くと、ユダヤ教のシナゴーグ（教会）の遺跡から、六芒星（ダビデの星）と五芒星が出てきます。

山口　海流の研究者によると、中国大陸からエンジンを積まない船が出帆したとしたら、九州や四国の南側を回り込んで、徳島に漂着するそうなんですよ。

飛鳥　ありえますすね。確かに、海流を見ると多少、弧を描いているから。

山口　そこで、徳島に漂着したユダヤの民が、古代の邪馬台国を作ったのではないかとも考えられます。邪馬台国は、阿波だったという説ですね。

飛鳥　その説をテレビ局に持っていっても、なかなか動かないと思いますよ。

山口　日ユ同祖論に少しでも触れるところがあると、放送できない雰囲気になっていますね。その他にも、血液型の分布がおかしいんです。徳島では、B型が非常に多いんですよ。日本全国的には、B型の人は比較的に少ないじゃないですか。

飛鳥　A型が一番多いよね。A型は全体の約40％で、O型は約30％、B型は約20％、AB型は約10％といわれています。

山口　ところが徳島だけ、Ｂ型の確率が高いんですよ。そして、中国大陸北方ではＢ型が一番多いと聞いています。

すなわち、大陸の人が由来となっている可能性が高いと言えます。

飛鳥　徳島だけ、大陸系ということかな。

山口　そうだと思うんですよね。元をただせば、ユダヤの民であったということだと思います。

飛鳥　日ユ同祖論でよく取り上げられるのは、四国の剣山《つるぎさん》ですよね。

あそこは昔、「壇ノ浦の合戦」から逃げ延びた平家の軍が、馬上訓練をしていたという噂があるくらい、だだっ広い場所があるよね。

山口　そうですね。僕も登ったことがあります。

飛鳥　行くとびっくりするよね。まっ平らではないけれども、凸凹はほとんどないという場所がある。

山口　剣山は、気候がイスラエルと似ているらしいですね。

飛鳥　そうだね。エルサレムは山の上のほうにあるから。

山口　だから、ユダヤと剣山は関係があるのではないかと言われていますよね。

飛鳥　戦後の話ですが、ＧＨＱを置いたダグラス・マッカーサーが乗り込んできたときに、3箇所、ここは日本ではないというお触れを出して封鎖した場所があるんです。記録があるので、間違いありません。

まずは、伊豆諸島の利島《としま》という島です。この島を上から見ると、ピラミッドの形をしているんですよ。四角錐ですね。

それで、テニアン島からやってきたB29が東京を爆撃するときに、その利島のピラミッドを目安に向きを変えて東京に向かったとされています。

「海から突き出ているこのピラミッドは何だ」と注目され、ひょっとしたらユダヤと関係があるんじゃないかということで、当時の米軍が利島に入って、ボーリング調査をしたということはわかっています。

もう一箇所が、石川県の羽咋《はくい》です。羽咋には、モーゼの墓というものがあるんです。そこもGHQが一度封鎖して、徹底的に調べています。

山口　あれは、モーゼ本人の墓なんですかね。

飛鳥　真偽のほどはわかりませんが、とにかくそんな伝承がある場所なんです。そこを、なぜかマッカーサーがとても気にしていたわけです。

最後が、剣山です。剣山については私自身で、ご高齢者からたくさんの証言を取りました。剣山までの道に、自衛隊道路（後の名称）というものができたと言うんです。昔は、こんな所まで舗装された道はなかったということでした。

山口　そうですね。

飛鳥　四国に駐屯する陸上自衛隊を調べてみると、「陸上自衛隊第２混成団」の本部が香川県善通寺市にあり、特科大隊が愛媛県松山市に、施設隊が高知県香美郡香我美町にあることがわかりました。

問題は、第２混成団隷下の施設隊の存在で、ここは旧陸軍の工兵隊に当り、彼らは進撃路や陣地、防御物を作る専門部隊として存在している。もちろん、道路施設などの様々な外部工事も行い、カンボジアを皮切りにＰＫＯ任務でも活躍しています。

どうやら剣山までの道路を補修した部隊というのは、この旧陸軍の残党を集めた施設隊だったようです。なぜなら、道路の舗装工事をしたまでは地元の証言でわかりましたが、剣山の頂上まで登った証言がないからです。

山口　ほう、となると剣山の頂上に入ったのは占領軍ですね。

飛鳥　はい、当時の米軍の一個中隊が、訓練と称して剣山に登りました。そのまま、1ヶ月以上も下りてこなかったと。

山口　そのときに発掘していたらしいという話がありますね。

飛鳥　1952年（昭和27年）4月28日、アメリカで「サンフランシスコ講和条約」が発効され、占領政策の象徴だったGHQが廃止されることになりました。その直後、徳島県教育会事務局に拠点を置く進駐軍630人も撤退を開始するわけです。

しかし、この部隊はイギリスとオーストラリアの編成部隊で、最初、駐留していた「米軍第二十四師団第十九連隊」ではなかった。彼らは、1946年（昭和21年）5月、進駐区域変更によってすでに高知を去っていたのです。

その英豪軍が剣山に入ったのかというとそうではありません。四国には別の米軍部隊が進駐していたからです。

　隣接する高知県を管轄したのが、２０００人規模の「米軍第二十四師団第十九連隊」でした。その一部が密かに徳島県に入り、剣山に侵入した可能性が高く、実際、彼らは工兵部隊でした。

山口　何となく見えてきました。

飛鳥　実際、この部隊は剣山の頂上で、何かを求めて発掘していたんですよ。地元の人たちは、山の上が毎夜ぼーっと光っているのを見ているんです。砲弾訓練をしているわけでもないのに、１ヶ月間も何をやっていたのかと思ったら、一生懸命何かを探して掘っていたというわけです。

　ＧＨＱは、ユダヤに関連するところばかりを調査していたのです。

　つまりアメリカ人は、日本人が本当はユダヤ人と同祖であることを、どこからか知ったということですね。

山口　その頃の焚書坑儒《ふんしょこうじゅ》（＊言論・思想・学問などを弾圧すること）では、日本の神道系の文献がかなり焼かれているじゃないですか。それも、原因は同じかと思っています。

飛鳥　天皇家も、ユダヤ系の血筋だとわかっていると思うんですよね。いずれにしても、日本人には知らせたくない秘密を、どうやらアメリカが握っていたようです。

日本をアメリカの州にしたら、アメリカにとって不都合なことが起こる

飛鳥　ところで、僕の地元は大阪なんですが、大阪には応神天皇陵や仁徳天皇陵があるんですね。

米軍の部隊は和歌山から上陸して、堺を通って大阪に向かったんです。なぜ和歌山から北上したのかというと、大阪湾には機雷（＊水中に設置され、艦船が接近したときに、自動的に、あるいは遠隔操作により爆発する兵器）がたくさん浮かんでいたので、大阪湾から入れなかったからです。

ボストン美術館に行くと、仁徳天皇陵から掘り出した埋蔵品が展示されています。アメリカ軍が発掘したものでしょう。

山口　間違いなく、ユダヤと関係があるからそんなことをしたのでしょう。

飛鳥　関係がないなら、アメリカも終戦直後にあれだけのことはしませんよね。日本人は、自分たちがユダヤ人由来だとは気がついていない……、アメリカはその事実を、日本人に徹底的に隠しています。

山口　日本人に対して、話せるようになる英語教育をせず、文法中心の教育をしたというのは、日本人が英語を喋れるようになると、アメリカなんて簡単に乗っ取れるからなんですね。

飛鳥　本当は、日本を占領してアメリカの1つの州にするつもりだったんです。しかし、日本を州にしたら、アメリカにとって不都合なことが起こりえます。日本人は一致団結するから、アメリカの大統領が日本人になるということもおおいにありえる、それは避けたいということで、日本を州にはしなかったそうです。

山口　そうなんですね。だから、プエルトリコのように、中途半端な植民地扱いにしたわけですか。

飛鳥　プエルトリコは、自治領という扱いです。自治領の条件として、米軍の基地を置く必要があります。自治領では、アメリカの大統領選には関わることができません。

これって、まるまる日本と同じですね。

山口　アメリカにとって都合のいいようにできていますよね。

飛鳥　本当にその通りですよ。日本は毎年、アメリカに国債を買わされているじゃないですか。あれはいわば、植民地税なんです。プランテーションの農奴と同じです。

日本が稼いだものを、自民党がアメリカに貢いでいるわけです。

山口　竹中平蔵氏がその筆頭ですね。

飛鳥　竹中氏が主張した、トリクルダウン理論を覚えていますか。18世紀の初頭に、英国の精神科医であるマンデヴィルによって初めて示された理論だそうです。

例えば、ジャンボジェット機は離陸の際に、前輪がまず持ち上がって、そのあとに後輪が上がります。それと同じで、前輪である巨大企業を優先しているとやがて飛行機は上がり、後輪である若い人たちにも恩恵がある、というものでした。

あるいは、シャンパングラスを想像するといいと思います。シャンパンタワーといいますが、ピラミッドのようにグラスを積んで、上からシャンパンを注いだら、下のグラスまでシャンパンが入るというわけです。

でも、これは嘘ですね。精神学者が発表した経済理論でもありますし、現在と当時とは背景が大きく異なることもあり、この論に否定的な意見も多いのです。

山口　竹中氏は、派遣会社のボスじゃないですか。

飛鳥　派遣業では一番大きな会社で、他にもたくさん会社を持っています。今思えば、小泉内閣の中枢にいたため、一種のインサイダーです。

同じようなことを、麻生太郎氏もやっています。麻生一族は、麻生セメントの持ち主ですから「旧統一教会」と一緒に取り組む日韓トンネル開通を諦めていませんし、新型コロナウイルスのパンデミックに慌てた人たちが、ビル・ゲイツが仕掛けた遅延死ワクチンを接種した結果、死者が激増していますから、九州で火葬場をたくさん作り始めているんです。これは、近い将来に人がたくさん死ぬことがわかっているからですね。

それも、一種のインサイダーでしょう。

山口　ビル・ゲイツは土地を買いまくって、アメリカで一番の土地持ちになったらしいですね。

飛鳥　アメリカだけではなく、日本の軽井沢に別荘という名の要塞を作りましたからね。軽井沢ルール（＊軽井沢で家を建てる際の暗黙のルール）なんて全く無視です。

自然を大切にするコンセプトなんてまるでない。木は、それはたくさん切り倒すわ、やりたい放題です。ビル・ゲイツにとって、日本はもう自分が所有している国みたいなものです。アメリカにいたら遅延死ワクチンのディレクターとして暗殺されそうだから、日本に逃げて来るんですよ。日本人は戦後教育で洗脳され、おとなしいから大丈夫だろうと、高を括っているわけです。

山口　確かに、日本人は何もしないですよね。

飛鳥　テレビ局も、一切真相を報道しないですから。

山口　そもそもビル・ゲイツが、日本に別荘を作っていることを知らない人も多いです。

飛鳥　あれは別荘ではなくて、もはや要塞なんです。地下3階まであって、完全防備。まるで007に登場する悪役の基地みたいなものです。

山口　やはり、それだけ命を狙われているという自覚があるんですね。

飛鳥　アメリカにいたら必ずやられますよ。アメリカ人は、一般人も普通に銃を持っているしね。

日本では簡単には銃を持てないし、男だっておとなしくて頼りない人が多いじゃないですか。だから、ビル・ゲイツは日本なら安心して余生を送れるわけです。

日本はまた、鎖国すればよかったんだよね。今からでも、鎖国したらいいんです。

明治維新の裏話――竜馬は本当にヒーローだったのか

山口　ABCD包囲網のときなら、鎖国するという戦略もあったと思うんですけれどもね。
太平洋戦争のときに、真珠湾を攻撃しようと言い出したのは誰なんですかね。

飛鳥　元は、薩長ですね。今の鹿児島県と山口県です。
二・二六事件も五・一五事件も関わっている海軍や陸軍は、薩長にゆかりがある。薩摩が海軍を、長州が陸軍を支配しましたから。欧米列強から圧力をかけられていましたので、薩長は良かれと思ってやったかもしれませんが。

鎖国政策をとった徳川家の弱腰と一緒と言われるのが嫌で、一か八かの真珠湾攻撃を企てたんじゃないでしょうか。

実は、最近まで薩長政府の威光が強く残っていたのが、長州（山口県）の安倍王国と、福岡県の麻生王国で、薩摩の大久保利通の末が福岡に移って吉田茂を排出、その孫が麻生太郎というわけで、九州の勢力図が鹿児島から福岡に移っただけで、２０２２年7月8日の安倍元首相の暗殺が無ければ、いまだに明治新政府のＡＡコンビが日本を支配していたことになります。

どちらにせよ、いくら窮鼠猫を噛むとはいえ、忠臣蔵が通用するのは日本国内だけです。だからアメリカに足元を見られ、ハルノートというメモ程度の代物で真珠湾に討ち入りしてしまう。

山口 その可能性はありますよね。それで、まんまとアメリカの罠にはまってしまったわけですか。

飛鳥　四国の土佐あたりは、もっとしっかりすればよかったんだ。

山口　四国には、坂本龍馬がいましたね。でも明治になって時間が経つにつれ、土佐の権力は失われていくんですよ。

それで、日露戦争のときに、龍馬の幽霊が出たという話を作り上げて、少しでもおらが町のヒーローだとアピールしようとしたんだけれども……。

飛鳥　潰されたんだね。

山口　そうなんです。薩摩と長州に潰されたという。

飛鳥　最近では、自民党も坂本龍馬のネガティブキャンペーンをしています。坂本龍馬は、実はたいした奴ではなかったと言い始めているのです。

山口　坂本龍馬がたいした奴ではなかったという説には、一理あるんですよね。船中八策（＊坂本龍馬が提唱した、国の新しい政治方針）だって横井小楠の「国是七条」のパクリだし、薩長同盟も実は大村藩の渡辺兄弟（＊渡辺清、渡辺昇）が中心となって実現したのであって、龍馬はその取り巻きでしかなかったんです。

ただ、フリーメイソンの手先だったというのが、批判されている大きな要因でしょう。実際のところ、彼はフリーメイソンに入会してはいないのですけれどね。

飛鳥　金の出所という意味だな、きっと。

山口　金の出所を考えてみると、坂本龍馬は近江商人の家柄じゃないですか。近江商人のネットワークが、龍馬を応援していたんじゃないかと思います。

僕は龍馬が好きなのでちょっと援護させてもらうと、グラバー邸にはフリーメイソンのマークがあるんです。

飛鳥　庭の柱に、確かにそれっぽいものがあるね。

山口　あれは、昭和になってから持ってきたものですね。グラバーは、フリーメイソンだったかもしれません。フリーメイソンと関わりのあるロスチャイルドの、下請けをやっていた可能性がありますからね。けれども、龍馬はフリーメイソンのイニシエーション、つまり儀式は受けていません。当時、儀式を受けるためにはマニラに行く必要がありましたから、それは不可能だったと思われます。

飛鳥　それを言うなら、日銀副総裁だった高橋是清はイギリス系とアメリカ系のロスチャイルドから金を借り、日露戦争の戦費にして日本政府を支えました。たしか、借金を完済したのは昭和に入ってからでしたね。

日本は、ずっとその金を返していたんです。昭和の前だったか、関東大震災の後だったか、いずれにしても高橋是清は、ロスチャイルド系の2箇所から金を借りていたんです。ロスチャイルドに特化すれば、坂本龍馬より重要視されるべきなんじゃないかなと思えます。

邪馬台国四国論の本当らしさ

飛鳥　地質学者は誰も言わないのですが、四国と九州と中国地方、紀伊半島、淡路島をパズルのように組み合わせると、パチッときれいにはまるんです。もともとは、一つの塊だったからですね。

面白いことに、「記紀」の仁徳天皇の項に残された記録を見ると、岩清水が欲しいと言って淡路島へ船を漕いで渡って、すぐに水を持ってきたという記録があります。これは、淡路島が目と鼻の先にあったということです。

それが、地殻変動で離れてしまったわけです。いわゆる、大陸移動説ですね。

そう考えると、邪馬台国が四国にあったとしたら、四国全域から紀伊半島を含めた地域が邪馬台国だったと言えます。

山口　ありますね。

四国に、紀の川というのがあるでしょう。

飛鳥　パズルのように繋げていくと、紀の川は和歌山県の吉野川と繋がります。

山口　徳島と和歌山は鏡合わせになっているんですか？

飛鳥　そうですね。邪馬台国がどこにあったのかは諸説ありますが、四国だったという説には本当らしさがあります。が、ジグソーパズルのように繋がっていたとしたら、少なくとも四国一帯と奈良県を含む地域が邪馬台国で、後は卑弥呼の都がどこだったかの話となります。

邪馬台国は、アメリカ合衆国のように連合国家だった。五角形の構造物が多いのにも、何か理由があると思われます。

五角形で思い出すものといえば、先述のように、やはり五芒星、ダビデの星です。

山口　そう考えると、坂本龍馬が四国の出身だというのは、決して偶然ではない気がするんです。

日月神示《ひつきしんじ》の神様の言葉は、実は四国弁なんですよ。「～してはあかんぞよ」という表現などでわかります。

飛鳥　岡本天明ですね。よく、「頼んだぞよ」と言っていますね。

山口　あれは四国弁ですよ。日月神示は龍神が降りて書かれたという話があります。龍馬も、龍神に操られていたという説がある。

　ということは、龍馬を操っていた龍神と、日月神示を降ろした龍神とは同一かなと思ったりもするんです。

飛鳥　面白いですね。となると、龍神は岡本天明に下った国常立尊《クニノトコタチノミコト》となる。話を戻すと、淡路島のホテルニューアワジ別亭・淡路夢泉にある石室から、何かが出てきたんです。ユダヤの紋章らしきものが型どられた古い指輪などですね。真偽は不明ですが、失われた十支族のナフタリの紋章のように見えるものです。

　それと、台形の金属も出てきました。これは、ユダヤの剣の先が割れたものじゃないかと言われています。

　徳島で日ユ同祖論を主張している、高齢女性が言っていたんです。私もそのおばあさんと会って、いろいろと調べました。

出土したものを持っている関係者がいたから見せてもらったのですが、確かに金属が含まれているんですよね。ただ、それは単にショベルカーの爪が折れただけのもののようでした。けれども、指輪などはどうやら本物のようです。

四国はとにかく、不思議なところですね。

隠岐は、鬼ヶ島であり竜宮城でもある——浦島太郎は倭宿禰命《ヤマトスクネノミコト》だった?!

山口　飛鳥先生はよく、長崎県の対馬をフィールドワークしますよね。対馬は、地底世界の入口だとおっしゃられています。

それでうかがいたいのですが、対馬の役割とは何でしょうか?

飛鳥　対馬というか、よく行っているのは隠岐のほうかもしれない。

隠岐は妙なところで、「隠す」という漢字が入っています。

さらに「隠」は「鬼」の意味があり、となると隠岐は鬼が島の可能性があり、鬼の頭領は、西へ行くと酒呑童子《しゅてんどうじ》ですが、西日本全体を見ると、鬼の頭領の名は「温羅《うら》」とされています。隠岐は、隠れる「鬼」という漢字からも、温羅島という仕掛けが見えてきます。

そして隠岐は、鬼ヶ島であると同時に、竜宮城でもあるのです。浦島太郎が亀に乗って行ったとされる竜宮城は、若狭湾に近い籠《この》神社にあるんです。神社に一つの不思議な像がある。倭宿禰命《ヤマトスクネノミコト》が亀に乗っている青銅の像で、どう見ても浦島太郎です。倭宿禰命は神武天皇を迎えに日本海を渡って朝鮮半島に向かったら、途中、必ず隠岐を通るわけでしょう。これは偶然とは思えないですね。

邪馬台国が合衆国のような国だったら、九州を含む西日本全体が邪馬台国連合であったと思います。

山口　最初は四国周辺にあった合衆国で、後に近畿に移ったということでしょうか。

飛鳥　魏志倭人伝には、卑弥呼は、どこかからトレードされたと書かれていますからね。関西から見たとき、東国の人々のことをかつては東夷《とうい》と呼んでいました。東に向かうことは東下りといって、上方から下っていくという意味です。

すなわち、縄文人だったアイヌが日本武尊や坂上田村麻呂のように、東征によって東の果て、そして北海道に追い出されたということを意味していたのです。

それが邪馬台国と同規模で卑弥呼と敵対した狗奴国で、当時は南に位置していましたが、今はプレートの動きで回転し東北方向に変わりました。だから、昔は全部、大和がある西が中心の言葉だったんです。

山口　だからこそ、日ユ同祖論をもう一回考えてみようと思ったんです。

飛鳥　四国の地元の人たちの取材で、直に話を聞くとやっぱり面白いですよ。

特に剣山、あそこは神社が上と下に二つあるのですが、下の大剣神社のほうが本物で、頂上の剣山本宮宝蔵石神社は後からできた最近の神社らしいです。

山口　本家争いがあったのでしょうか。

飛鳥　当然あるみたいです。大剣神社の宮司にお聞きすると、頂上の岩に直径10センチほどの穴が穿《うが》たれているのを見た人がいたそうです。しかし、高校生ぐらいになってから再び登ったときにはもう、見つけられなかったそうです。

米軍が掘った穴かどうかはわからないのですが、あちらこちらに人工的に掘削、あるいは掘られた洞窟もあり、それが埋められているところもあったようです。

それから、剣山を登って行くと、岩場の隙間から流れ落ちる小さくても急流の滝があちこちにあります。岩の裂け目からごうごうと流れ出していますが、上に池もないのにこの水はどこから来ているのかと、不思議な気がしました。

山口　面白いですね。

始皇帝は漢民族ではなかった

山口　話は変わりますが、戦時中、帝国神霊学院という学校がありました。星天学《ほしてんがく》という人が戦争中に開いた、超能力者学校です。

林という香川出身の青年がおりまして、そこで師範代のようなことをやっていたんです。その林さんは帝国神霊学院を卒業した後、剣山で一生を終えます。

どうやら、剣山に籠って道場を作ったらしいんです。何らかの理由があって、剣山に惹きつけられたのだろうと感じました。

飛鳥　一種の修験者ですね。

山口　そこには、いまだにいるみたいなんですよ。仙人がね。

飛鳥　自ら籠っている人たちがいるということですね。

山口　六人ぐらいいるとか。最近、一人減ったと聞きました。おそらく、亡くなったんでしょうね。

そんな剣山で修行をしているのが、ちかみつという霊能者です。

飛鳥　ちかみつさん？　聞いたことがあるな。

山口　僕の事務所にいる人ですよ。あの人が、剣山で修行をしているんです。

飛鳥　まだ若いのにね。

山口　そうなんです。若いと言っても、40代半ばですけれどね。

飛鳥　山口さんが派遣したんでしょう。

山口　いやいや、あの人はもともと地元が四国ですから。剣山には、超能力者を惹きつける何かがあるんじゃないでしょうか。

飛鳥　超能力といえば、漫画家のつのだじろうさんが、ずいぶん傾倒していたよね。あの人の家は、一回、火事で全焼していましたが。放火かもしれません。

山口　恨みをかうようなことでもあったのでしょうか。つのだ さんの家の火事の後、人形が焼け残ったんですよ。非常にパワーのある人形だという話を聞きました。

飛鳥　つのだ さんはあの頃、『空手バカ一代』という、大山倍達《ますたつ》の自伝的な漫画を描いていました。

ところが、途中でオカルトを描きたくなったわけです。それで、作画を影丸穣也にバトンタッチしましたが、原作の梶原一騎が怒ってね。「それは絶対に許さない」と。つのだ さんは確か、極真会で道場に通っていましたが、下手に行くと練習と称してボコボコにされる可能性があるから、道場に行かなくなったんです。梶原一騎から、何らかの司令がきていたかもしれないからです。要は、逃げていたわけだね。

それで、版元の講談社が間に入りました。相手は梶原一騎だからね、まあ、強面ですよね。恨みといえばそんなことがあったようですが、放火に関わっていたかは不明ですね。

何が言いたいのかというと、あの時つのださんが『空手バカ一代』を描き続けていたら、『うしろの百太郎』も『恐怖新聞』も描けていなかっただろうということです。オカルトの世界から言うとやめてよかったんです。

山口　確かにそうですね。

飛鳥　つのださんは、本当かどうかわからないけれども、始皇帝に関係する一族のようです。

山口　秦の皇帝の末裔と言っていました。

飛鳥　自伝漫画の中でも言ってましたね。始皇帝はどうも、漢民族ではないということが最近わかってきました。司馬遷《しばせん》が、中国最古の記録『史記』の中で、始皇帝は漢民族にあらずと書いています。

山口　かつて秦があった場所というのは、西域（＊古来、中国人が中国の西方にある国々を呼んだ総称）と繋がっていますね。

飛鳥　ペルシャ、イスラエルの境ですね。秦は一番西の端っこでした。始皇帝が中国を統一してから、場所を泰山《たいざん》がある東へ移しましたが。

山口　始皇帝は、瞳の色が違っていたという話もありますね。

飛鳥　漢民族とは違うところがあったことは間違いないようです。だから、始皇帝の墓は掘れないらしいです。下手に掘って、五芒星とか六芒星とか出てきたら問題だからとも言われています。

あるいは、日の丸とか、日章旗が出てきましたなんてことになったら笑っちゃいますがね。中国の一番の誇りと言ったら、やっぱり始皇帝ですから。

山口　中国は、トップが異民族であることが意外と多いんですよね。

飛鳥　元々そういう国ですからね。中国最後の清王朝だって元々は満州民族ですし。その満州と隣接するのがモンゴルで、満州民族の清王朝によりモンゴルが支配されてしまいます。

源義経＝チンギス・ハン説は本当なのか

山口　そうなんですね。モンゴルと言えば、源義経＝チンギス・ハン説があるじゃないですか。

飛鳥　あるある、有名な話。文化的には、満洲文字はモンゴル文字を起源としますから、昔はモンゴルと近しい関係だったと思われます。そのモンゴル大帝国を築き上げるのがチンギス・ハンで、大和民族だったという説があります。

山口　荒唐無稽だと言う人もいますけれども。

飛鳥　あれは、医師で博物学者のオランダ人シーボルトが最初に言い出して、本国のオランダにもそう報告しているんですね。昔の日本人は、「源義経チンギス・ハン」も「日ユ同祖論」も全く主張していませんよ。

そもそも、江戸末期から明治にかけて日本にやってきた外国人たちが言っていたわけです。それを、「都市伝説だ」とかいうアホがたくさんいるじゃないですか。

山口　源義経＝チンギス・ハン説についていろいろ調べていくと、あながち嘘ではなさそうですね。チンギス・ハンの、戦いで得た利益の配分方法が源氏と同じなんです。

戦いでお金を得たら、まず全体のうち何割かを親方が持っていき、残った分をまた割合によって部下に渡すんですね。

部下が自分の取り分を確保したら、さらにその部下に渡すという仕組みです。その結果、取り分はどんどん目減りしていくという。

飛鳥　義経を殺そうとした源頼朝の鎌倉幕府を、北条氏の執権時代にフビライ・ハンがその復讐に元寇を起こし、その北条氏を滅ぼした足利尊氏も、建武の中興で取り分が少ないと腹を立て、後醍醐天皇の支配をひっくり返したわけなら因果が巡ることになる。
確か源氏の旗は白旗でしたよね？

山口 それと、チンギス・ハンの旗の印も一緒ですし。

飛鳥 旗印の笹竜胆《ささりんどう》ですね。確かに、源氏の白旗、平家の赤旗、笹竜胆、背が低かったこと全部一緒です。
チンギス・ハンは死んだときに体が縮んだという逸話が残っていて、やはり偉大な人が死ぬと奇跡が起こるなどと言われていたけれど、あれはどうも一時期日本で流行ったシークレット・シューズだったようです。

山口 相当、背が低い人だったみたいですよね。

飛鳥 義経もそうなんですよ。

山口　ということは、やはりチンギス・ハンが義経だったという可能性は否定できないですよね。

飛鳥　その可能性は、非常に高いと思いますよ。私も調べてみたけれど、義経としか思えない。

山口　義経の叔父は鎮西八郎《ちんぜいはちろう》を名乗って、琉球王朝の始祖になったという話があります。その後、義経がチンギス・ハンになったというわけです。

これは最初、琉球やモンゴルを手に入れるために、日本陸軍が作ったネタだろうと思っていたんです。けれども最近、それは違うと思いなおしました。

日本人って、けっこうあちこちの国に出かけて仕事をしていますが、そのルーツはこのへんにあるのではないかと、そんな気がしてしょうがないですね。

飛鳥　その他にも、おかしな記録はたくさんありますよね。例えば弁慶。刀を何本集めてたって言ってたかな。

山口　千本でしたね。

飛鳥　千本も持てないよね？　漫画に描かれる弁慶を見ると、ハリセンボンみたいに刀を背負っていますけど、千本はあまりに非現実的です。

実は百本じゃなかったかという説はありますが、百本でも無理です。

山口　そんな伝説が残るくらいですから、弁慶と義経は本当に大陸に渡って、モンゴルを統一したと考えてもおかしくないですね。

飛鳥　ありえる話です。アイヌの伝説では、アイヌから若武者一千人を船でサハリンのほうへ送り出したというんです。人数が詳細に伝え残されていました。その数と、弁慶の一千本の刀（勇者）が被ってくるんです。

山口　今でこそ国境がありますけれども、当時は国境なんて関係ないですからね。

飛鳥　坂本龍馬だって、藩の国境を平気で越えていますからね。

山口　龍馬にもいろんな説があって、香港から上海に行ったんじゃないかという話もありますよね。長州藩の師範の記録に船員名簿があるんですが、その中に坂本龍馬という名前が残っているんです。

龍馬ファンはみんな知っている話ですが、龍馬には空白の2年間があって、その間に実は海外で見聞を広めていたのではないかと考えられています。

飛鳥　ありえる話です。日本を出ていなかったとしたら、『万国公法』にしても、あれだけグローバルスタンダードな考え方は持てない。

山口　海外に行っていた可能性は非常に高いと思います。第二次世界大戦の前には、出口王仁三郎《おにさぶろう》が植芝盛平《もりへい》と一緒にモンゴルへ渡っていましたね。

『快傑ハリマオ』は実在した！――海外で軍事探偵が暗躍した時代

飛鳥　昔の日本人は、すごかったみたいですね。大陸に渡るなんて当たり前でした。馬賊と一緒に走り回っていたとか、そんな話がたくさんありますよね。

山口　中村天風さんも、軍事探偵という肩書きがありましたね。

飛鳥　そんな人たちがたくさんいた時代でした。

『快傑ハリマオ』という番組が昔ありましたが、主人公のハリマオは、実在の人物なんですよ。番組ほどかっこよくないけれどね。『快傑ハリマオの歌』の「真っ赤な太陽」から始まる歌詞は有名ですよね。

『快傑ハリマオ』の漫画は、もともと手塚治虫が描くはずだったんです。ところが忙しくて、石ノ森章太郎に丸投げしたらしい。

山口　そうだったんですね。軍事探偵というのは、日露戦争の頃にあった職業で、海外に派遣されていたんですが、基本的には捨て石なんですよ。100人以上はいたようですが、生き残ったのは9人とか。

飛鳥　江戸川乱歩が本を発表していた時代の小説を読んでみたら、当たり前のようにグローバルな世界があちこちに登場しますから、むしろ今の日本人より遥かにコスモポリタンです。日本と上海を股にかけるような作品があったり。村松梢風《しょうふう》の『魔都』とかね。今の時代のほうが、かえって内向きな気がします。

山口　保守的ですよね。

飛鳥　国内で、どんどん縮こまってしまっているよね。例えばサントリーです。私の父はサントリーに勤めていたんですが、当時は壽屋《ことぶきや》という名称だったらしく、父は最初、まんじゅう屋だと思ったそうです。いざ働き始めたら、マッサンとかと樽で酒を醸造するような仕事だった。京都の山崎に工場を作って、その頃からずっとサントリーにいました。

後で聞くと、戦争中のサントリーは海軍さん御用達で、いくつもの工場を東南アジア一帯に作っていったといいます。

要は、ウイスキーなどのアルコール飲料の製造ラインの設計を、父がやっていたんです。その頃の暮らしぶりを聞くと、ものすごい。白亜の豪邸に住んでいて、昔でいう女中さんが十数人いたらしいです。

山口　朝鮮や満州を支配していた頃の日本って、とても羽振りがよかったようですね。

飛鳥　私が小学4年生の頃の出来事なんですが、今も覚えている話があるんです。日本人のような、日本人じゃないような男性が家にやって来て、「私のお父さんに会いに来ました」と言うんです。

どうやら、父が外で作った子らしくて。その人は当時の内閣調査室にいたから、自分が私の父の子供だったことや、居場所がわかったわけです。

私の腹違いの兄弟が、いまやどこかの与党の役職に収まっている可能性も高いわけですね。

山口　腹違いの兄弟がいるんですね。

飛鳥　それも、一人や二人ではないと思います。

山口　そんなにいるんですか。

飛鳥　だって、戦争中でしたから。日本の男性でそれだけの羽振りと力があったら、女性は寄ってきていたでしょう。それが良いのか悪いのかは別問題としてね。

昔の日本には、大陸雄飛《たいりくゆうひ》という言葉があったのです。大陸に旅して、雄々しく飛ぶように生きる、というような意味合いですね。

超人・植芝盛平の伝説

山口　植芝盛平と王仁三郎が大陸に行ったとき、馬賊の襲撃にあったが弾丸を避けたと言われていますよね。

飛鳥　すごいですよ。昔の七色仮面（＊東映の特撮作品に登場するヒーロー）は、敵の銃弾をぱっぱっと避けていましたよね。

山口　プロレスラーの前田日明《あきら》さんから聞いたんですが、植芝盛平は本物みたいですね。植芝盛平の最後の直弟子に、城野剛三という人がいます。城野剛三が近くで見ていたときも、植芝盛平は相手が銃を構えて撃ってきた弾丸を避けたと言っていました。

飛鳥　決して嘘ではないと思います。馬賊もそうだけれど、相手が引き金を引くタイミングまでわかるらしいです。

馬に乗っている人間を狙っても、当てるのはかなり難しいのです。だから、馬を狙うことが多いんですよ。

ただ、昔の日本の武士は、馬はとても重要な兵器だから、できれば生かしたままにして奪いたかったので、どうしてもという場合のみ、馬を狙っていた。

それで、馬に当たらないように、弓で矢を打っていたんですね。馬上の武士は、飛んでくるその矢を刀で払いのけていました。

二刀流というのはもともと、馬に乗った主を守る足軽が、刀を二本持って飛んでくる矢を落としていたことを意味するのだと聞いています。

一説では、宮本武蔵もタケゾウの時代に二刀流で矢を落としていたと言います。

山口　昔の武士が飛んでくる矢を落としていたというのは、すごい話ですよね。そんなに優秀だった日本人が、今はいかに劣化しているかを思うと残念な気持ちです。

飛鳥　昔の人は、動体視力がすごかったと思いますよ。慣れなのか訓練なのか、あるいは時代の流れなのか……。その時代ごとにすごい人がいたようです。

山口　戦前の日本人は、とにかく信じられないくらいのパワーがありましたね。南方熊楠《みなかたくまぐす》とかね。

飛鳥　熊楠ね。熊楠は粘菌《ねんきん》の研究者としては、当時の日本人として世界で一番有名になりました。イギリスの大英美術館で働いていて、『ネイチャー』にも論文が掲載されていました。日本で最初に『ネイチャー』に論文が載った男が、裸の大将のような姿でうろつく南方熊楠です。

山口　天皇陛下にも、粘菌について教えていました。彼は、豪快でしたよね。既刊の『日本人奴隷化計画【最終段階】』（明窓出版）でもさんざん語っていますけれども、アメリカ人は日本を恐れて、日本人を弱体化する計画を実行していました。戦争前は、「日本人は怖いぞ」と恐れられていたというのもわかりますよね。

飛鳥　もう皆さん、忘れられているかもしれないのですが、私の世代は、全共闘や全学連が全盛期で、ゲバ棒を持って火炎瓶を投げるのが当たり前だったんです。

私がちょうど大学入試をする年は東大が封鎖されて、大学中が荒れ狂っていた時代でした。それで、「大学はもうだめだ」と思って、結局受験を止めたんですよ。通っていた高校は一応、受験校だったんですが。

山口　大学には行かなかったんですか？

飛鳥　はい。大学はやばいと思って子供の頃からの夢だった漫画家になろうと決めたのです。だから、私の最終学歴は高卒です。

山口　当時の学生運動のボスには、やっぱりアメリカから金が出ていたそうですね。

飛鳥　当然ですよ。左翼側にどんどん金を出したんです。

山口　アメリカは日本をかなりコントロールしていて、ジャパンハンドラーが日本人を飼いならしてきましたけれど、ついに馬脚を現してきましたね。

飛鳥　２０２２年に赴任してきた、アメリカの駐日大使のラーム・エマニュエル氏、通称ランボーですが、あいつがチェックメイトをしに来たことになります。

山口　そうですよね。

飛鳥　急に岸田総理が韓国の大統領と会うと言い始めたり、アメリカ大統領が、岸田首相が総理に就任する前から特別待遇で迎え入れていましたが、おかしいでしょう。

山口　無視したらいいのにね。

飛鳥　岸田首相は無視しないんです。ランボーが尹錫悦《ユン・ソンニョル》大統領に会え、会えって言っていたのが目に見えますよ。岸田首相もいやいや会ったのでしょう。

あの頃は、大統領の就任式に行くのかどうかも、はっきりしていなかったんです。それが今はコロッとですから、本当に、魂抜かれています。

山口　岸田さんは完全に、アメリカ従属型ですね。

飛鳥　朝令暮改で、言った後にコロッと変わるんです。

YouTubeやXで危険視されている両著者

山口　ところで、YouTubeをやり始めて思ったことなんですが、YouTubeに上がっている動画って、嘘ばっかりなんですよ。

飛鳥　YouTubeなんて止めようよ。山口さん、危険人物になってるよ。X（旧Twitter）もやっているんだったっけ。

山口　やっていますよ。

飛鳥　Xでも危険人物になっているから、気の毒だね。

山口　飛鳥先生もなってるじゃないですか。

飛鳥　あ、お互い大変だね。

まあ、我々はXのシステムを逆手に取ることもできる。Xで通知がきたツイートをそのまま印刷して本を出すとか。拡散を妨害してきた本当の話を本で出せば面白いね。

あんまり何度も妨害を重ねると反動が怖いから、逆に私は今、何を書いても問題なくなってきてますね。

山口　そうなんですか。向こうももう諦めたんですね。

でも、僕は普段、別にたいしたことは言ってないんですけどね。たまに少し辛口なことを言うくらいです。

YouTubeについては、一回、CMを取り上げられましたね。コロナワクチンは効果がないとか、いろいろ言ったせいですね。

飛鳥　それは狙われるよ。広告が取り上げられたら、お金が入ってこなくなるから痛いよね。

山口　2週間止められていましたが、裏から手を回しました。日本のYouTubeサービスの管理をやっている会社を知っていたので、どうにかしてくれと電話で連絡しました。

「山口さんの動画は、本来なら広告を取り上げるべきではなかったのに、取り上げになってしまい、大変失礼しました」と言ってきたんです。

飛鳥　大人の対応だな。

山口　でも何だか、それ以来あまり過激なことは言えなくなりましたね。

飛鳥　そこは逆にすべきでしたね。過激なことをもっと言うんですよ。止められるなら止めてみろと。

問題ない動画はYouTubeに乗せて、それでVimeo（＊動画共有サイトの一種）で超過激なことを言うんですよ。Vimeoは、それこそ好きなことをやっても大丈夫なサイトです。あんまりやりすぎると、確かにいろいろと問題が出ると思うけど、むしろ広告を停止してほしいです。それをネタに本ができるじゃない。

「この動画は、YouTubeが止めるほどのネタだった」ってね。

山口　表立って喋ってほしくない言葉を載せた動画が広告を停止されるなら、そこで語られていることは逆に、全て事実だということですよね。

飛鳥　そうだね。だから我々作家は逆手を取れるわけよ。転んでもただでは起きないぞというね。

山口　ワクチンの話や、ウクライナ……。

飛鳥　ロシアは悪くないからね。

山口　そうそう。それから9・11もありますね。

飛鳥　あれは嘘。アメリカの自作自演です。

３・11も、アメリカのＨＡＡＲＰ（＊高周波活性オーロラ調査プログラム）だ。

山口　日航ジャンボ機墜落事件もあります。

飛鳥　あれは、当時の海上自衛隊の新造艦「まつゆき」が、試乗作業中の誤射で撃墜したんです。

山口　ですよね。他にも、ヒトラーの話だってできないんですよ。

飛鳥　そういえば、私もヒトラーについて『緊急検証！』（＊ＣＳファミリー劇場で不定期で放送されているオカルト〈超常現象〉を題材にしたバラエティ番組シリーズ）のスペシャルでやりました。視聴率もよかった。

それで、プロデューサーが少し調子に乗っちゃって、毎年ある社内コンテストに、賞を取れると思って応募したんです。そうしたら審査員たちに、「こんなのやっていたのか」とけんもほろろに言われ、このスペシャル番組はなかったことにされました。以後は放送禁止です。

いらんことされたと思います。

ワクチン被害について

飛鳥　コロナも、やっと明けたという感じですが、本当はとっくに終わっているんですけどね。というか本当は始まってさえいなかった。

山口　それなのに、効きもしないワクチンを何回も打たされちゃうんですね。

飛鳥　効かないだけならまだいいんだけれど、実際、危ないからね。

ウクライナの問題で、みんなあちらに気を取られてしまっていますが、火葬場は大変なことになっています。1週間どころか、10日、2週間待ちという状況です。そのおかげでドライアイスの会社が、ものすごく株が上がったんです。

山口　突然死する人が多いんですよね。庭で倒れていた安孫子素雄先生、つまり藤子不二雄A先生も、そうなんじゃないかなと思います。

飛鳥　そうなんですよ。みんなよく考えてほしいのですが、この1、2年で有名な漫画家がバタバタと死んでいるわけです。年齢を見たら88歳とか、一人一人見ていったら寿命かと思うじゃないですか。でも、この2年ほどですごい数ですよ。

山口　水島新司さんとかね。

飛鳥　さいとうたかを、白土三平。有名な漫画家が何人死んでいるかな。でもその中に、女性漫画家は入っていない。

山口　女性は強いということですね。

飛鳥　強くてしぶといんです。女性の方々にはすみません。普段、女性が少ないところばかりで講演しているものですから、ついつい男性中心の話になってしまいます。

山口　飛鳥先生は、コロナワクチンについてどう思いますか。僕は大っぴらには「打ってない」とは言えないんですよ。XやYouTubeで言っちゃうと、「お前は非国民か、打つべきだ」とか言ってくるおせっかいがいますからね。

飛鳥　そういう人は逆にあしらいやすい、まだいいんですよ。ワクチンを打ってしまった真面目な人がね、真面目に反論してくるんですよ。だってそうじゃないとその人、立つ瀬がなくなっちゃうからね。

そんな人にも、ここで言いたいのですが、私はその人を納得させるために生きているわけじゃないですからね。納得できないからといって、ずっとお付き合いすることもできませんし、その人の人生に何の責任もありませんから。

山口　自民党の偉い議員さんなんかは、偽の接種証明書を医者に書いてもらうんですってね。

飛鳥　そうそう、官僚組織のトップはほとんど打ってませんよ。自民党でもほとんど打っていない。辞任された女性議員がいましたが、あの人も、子供に打ち始めたから耐えられなくなって辞めちゃったのね。

山口　子供に打たせて、これで安心とかいうニュースを見ているとぞっとしますもんね。

飛鳥　私がたまたま、スタッフの付き添いで病院に行ったときの話です。医者が私にも、「何回打ったの」と聞いてきたんです。それで、「打っていません」と答えると、「打たなきゃだめだよ」と言ってくるんです。

そこまではいいんですが、

「子供にも打つようになりましたよね」と言ったら、

「知ってると思いますけど、子供は感染してもだれ一人死んでいませんよ。幼児が死んだという話は聞いたこともない」と言われました。

「じゃあ、何で打つんですか」と聞いたら、

「打たないとじいさんばあさんにうつる。子供は大丈夫でも、高齢者が危ないですから」と言うんですよね。

それで私は、「ああ、子供の健康よりもじいさんばあさんのほうが大事なんだ」と思いました。普通、医者が言うことではないのではないかと。

ワクチンを打った人は、だいたい四種類に分けられます。周囲の人がみんな打っているから打ったという人と、無料だから打ったという人ですね。次に、死にたくないので打ったという人や、会社からの命令で打ったという人も多いはずです。

山口　うちのかみさんは、打たないとウクライナに行けなかったので、一回打っていました。

飛鳥　山口さんは、ウクライナで代理母を頼んで子供を授かったのでしたよね。

山口　かみさんは、その子を迎えに行ったんです。

もともとは打たないつもりだったんですが、ウクライナの病院には、ワクチンパスポートがないと入れないんです。だから、「しょうがない、子供のために命を捨てるわ」と言っていました。

飛鳥　それは本当にすごい。やはり女は強いですね。

山口　本当にそう思いますよ。医療関係者も無理やり打たされている人がほとんどじゃないですか。

飛鳥　優先的に、無理やり打たされていますね。

「患者さんに、医療関係者がコロナをうつしたらどうするんですか」という論法です。

少し前までは、ほぼ全員がマスクもしていましたけれど、間違いなく二酸化炭素を過剰に吸っていますよ。笑い話ですが、おかげで体自体が温暖化してしまいます。

山口　コロナはアメリカが作ったわけじゃないですか。製造を中国に外注していたら、それが広がってしまったと聞きました。そのくせ、中国のせいだと主張してますよね。

飛鳥　私が聞いている話は、それと似ているけど少し違いますね。

山口　そうなんですか。

飛鳥　COVID-19をアメリカが作り、それを中国が裏ルートで手に入れて武漢に運んできました。そうしたら、その翌日にＣＩＡの手先に外でばらまかれてしまったんです。

だから、結果的には武漢から発生したように言われています。それと、中国の奥地ではかかったという話を聞かないんですって。

山口　日本も、世界から見たら被害は少なかったですよね。

飛鳥　iPS細胞を発見した山中伸弥さんが話されていたことですが、日本人にはもともとファクターXという何らかの要因があるので、コロナにもかかりづらいし、ワクチンを打たなくてもいいいと。

山口　アメリカが作ったウイルスは、7段階あったんですよ。コロナは真ん中ぐらいのやつでした。さらに毒性の強いものを3、4年後にまたばらまくと言っているようです。それで人類を、半分以上減らすという計画があるみたいですよ。

飛鳥　すでに日本人は、コロナに3回かかっているんです。山中さんが言っているファクターXとはそのことなんです。血を採ったら、過去に3回もかかっていたことがわかるんですって。もう抗体ができているから、ワクチンは打つ必要がないという。

山口　それでは、今死んでいる人の死因は何でしょうか。

飛鳥　ワクチンですよ。ワクチンが身体に合わなかった人が死んでいるんでしょうね。この先、どうなるかわからないから、気をつけてくださいね。奥さんも、絶対に3回目は打たないほうがいいですよ。

山口　本当ですね。毎年打ったほうがいいとか、訳のわからないことを言っている人もいますから。

飛鳥　ワクチンをブレンドしろという話もありますね。アストラゼネカなどをブレンドするんです。4：6がいいとか3：7がいいとか、お酒のカクテルやハイボールのような話をしています。そんなことも、間違っているんじゃないかなと思います。

ビル・ゲイツという怪物を創ったのは日本人だった⁉

山口　ビル・ゲイツが理想とした人類削減計画が進んでいるんですよね。

飛鳥　にっこり笑って人を殺すってやつですね。

あのビル・ゲイツという人間は、日本人が創ってしまったんですよ。

日本は昔、ＴＲＯＮ《トロン》という完璧なＯＳを作っていて、通産省（＊現在の経済産業省）もそれを無料でネット公開し、全ての家電に装備して輸出する計画を立てていました。

しかし、アメリカがスーパー301条を笠に着て、貿易不均衡を主張しだしました。それは、家電をはじめとしていろいろなものにＴＲＯＮが搭載されることになると、日本のものばかり売れてしまうからです。

松下電器、三菱、三洋電機。全部アメリカでブロックされてしまいます。これはどうしようもないということでＴＲＯＮの無料公開を諦めたら、欠陥商品のWindowsが出てきたわけです。あれは、見事なまでの欠陥商品ですからね。だから毎年、新しいバージョンが出てくるんですよ。

Appleのスティーブ・ジョブズはビル・ゲイツに電話をかけて、こんな欠陥商品を出すのかと言ったそうです。あのとき、日本の誰か一人でも勇気を出して、インターネットにポンとTRONのソースコードをあげるだけで良かったんです。簡単ですよ。そうしたら、世界中に広がっていったことでしょうね。

そうなったら、ビル・ゲイツはWindowsをかかげて出てこなかったんですよ。アメリカでも、みんなTRONを使っていたでしょうね。

山口　そうですね。

飛鳥　だから、日本人がビル・ゲイツという怪物を創ったといえるんです。

山口　次にばらまかれる、強化されたコロナウイルスは、どの程度のものになるでしょうね。

飛鳥　ワクチンを打った人にとっては、より毒性が強くなったように思えるでしょう。免疫が低くなっているからね。

普通の風邪でも酷い状況になって、より強いウイルスが現れたとされますから、また打つでしょう。これを繰り返すとさらに免疫がなくなっていきますから、普通の風邪で入院したり死んだりするでしょうね。

山口　そうしたら、人間が少ない理想的な社会になるのだと。

飛鳥　「AIテクノロジー」と「ロボット技術」と「バイオ技術」があれば、もう人間はいらなくなるという話があります。

これは白人の考え方ですね。合理主義を極めるというのはそういうものですよ。

日本人は、そういう考え方とは違う思想を持っています。与えてもらったものを、みんなに分ければみんなが幸せになれるという「和をもって貴し」という考えで、アメリカのような総取りの独り占めは良くないとします。

基本的には、ロボットとAIが仕事のほとんどをやってくれたら、人間は人助けや趣味など、いろいろなことをしながら楽しく暮らせると考えます。

日本人はそんな発想なんですが、アメリカ人を筆頭とする多くの白人は違うんです。「普通の人間が仕事もせずにそんな恩恵を受ける必要はない。不要なら殺してしまえ」という考え方です。

山口　そうなんですよね。

人間の免疫機能を書き換えてしまうmRNA

山口　前作、『日本人奴隷化計画【最終段階】』を出して4年が経ちました。奴隷化は完了という空気感はありませんか？

飛鳥　もう、完了していると思いますよ。だって、8割方ワクチンを打ちましたからね。ただ、日本は意外と引きこもりが多くて、数百万人もいるそうですし、彼らはワクチン接種会場に行きませんから、その多くは非接種で助かります。

山口　そうなると、日月神示が示しているとおり、8割方の日本人が死ぬと。

飛鳥　私もワクチンについては、『打つな！　飲むな！　死ぬゾ‼』（ヒカルランド）という本を出しているからね。ワクチンは二回以上打たないほうがいいですよ。普通に考えればおかしいんです。マイナス70℃以上に冷やして輸送すること自体狂っているんです。ありえないですよ。

山口　そんな話は聞いたことがないですよね。

飛鳥　聞いたことがないのは、これがワクチンではないからですね。
さらに言うと、今回、新型コロナ・ワクチンとされているもので注射するｍＲＮＡには遺伝子を組み換える機能があって、人間の免疫機能を書き換えてしまいます。
確かに、一緒に入っている金属製酸化グリフェンで殺菌作用はあるんですよ。だから実際、ウイルスは死ぬんです。

しかし同時に、酸化グリフェンはスマホの電波などで動き回るため、血管内壁を原子レベルの刃で切裂いたり、穴を開けたりしますので非常に危険です。

ゲノムの遺伝子操作で、人の免疫機能も壊していきます。だから、打てば打つほど免疫が失われていくのです。最終的には、免疫機能がゼロになってしまいます。

次に、ＲＮＡというのは非常に壊れやすいので、そこを鞘《さや》、すなわちたんぱく質で覆うんです。

これを、プリオンたんぱく質と言います。プリオンたんぱく質は、人体にたくさんあるんです。本来は自然のものなんですが、人工的に染色体を作るとどうなるかというと、同じプリオンでも変形プリオンというものができてしまうんです。

変形プリオンは、ただのたんぱく質なのに生物のように分裂していくものです。そして、人間の脳の中、あるいは骨髄の中にある正常プリオンたんぱく質と次々に入れ替わっていきます。

変形プリオンの治療として、デトックスという手法があります。簡単に言えば、血液を浄化するんですが、そういった治療を受けていけば、少しでもよくはなるでしょう。ただし、中には保険が適用されない治療もあるんですよ。

反ワクチンで知られる中村篤史医師が経営する「ナカムラクリニック」（神戸市元町）が、デトックスで有名で、このように、今回のワクチンには人間の免疫機能を破壊する機能、それから脳を溶かす機能があるんです。ただこれは、３年間ぐらいで効果がなくなると言われています。

もう一つ、ワクチンには前述したナノ粒子の金属製の酸化グラフェンが含まれているんです。これは目に見えません。

でも、例えばワクチンの輸送中に携帯の基地局の近くを通ると、金属同士がカチャカチャと繋がっちゃうんです。そうすると、中に何かが浮いているのが見えるようになります。

ワクチンの液体の中に金属片が見つかったというニュースがあったでしょう。あれは、酸化グラフェンの塊なんですよ。５Ｇの電波が飛んでいると特に動きが活発化し動きながら集まるんです。

目に見えるほど大きくなると、血管が破裂してしまいます。

酸化グラフェンは、ナノ炭素材料であり、ナノというのは、一言で表すと原子の大きさですが、繋がるとまるでカッターナイフの刃か、尖った槍のようになるんです。

これが動くたびに、血管を貫くんです。血管が切れたら、5Gのスマホを耳に当てて長時間喋るだけで、脳内に酸化グラフェンが集まりだして結合、脳溢血や、くも膜下出血を起こして倒れてしまう。

山口　相当やばいですね。

飛鳥　それだけじゃないんです。ワクチンには、マイナス70℃の温度で卵が凍結保存されているという話があります。この卵は、人間の体温くらいの温度で孵《かえ》るようになっているので、体内で孵化するわけですね。

その姿は血管内を動き回るミクロ単位のヒドラ生物で、冷凍するのは胚のまま凍結しておくためでした。

そいつが血管の中で成長していって、体を巡って、最終的には血管を詰まらせて脳梗塞、肺梗塞、心筋梗塞で死亡となります。

山口　そういう死亡事例が、最近特に増えていますよね。

飛鳥　ものすごく増えています。この場合では、特に子供ほど重症化するし、すぐに死んでしまいます。絶対に打たせてはだめなのです。

作った側のファイザーの副社長で医学博士のマイケル・イードンも、ワクチンを打つなと警告しています。

山口　言っていますね。

飛鳥　打ったら3年以内に死ぬから絶対に打つなと、製造した人間が言っているのに、フェイクニュース扱いされるんですよね。

このニュースを否定する人は、彼が発狂したと主張していますし、都市伝説か陰謀論かのような扱いをしています。SNSでは彼の情報は全部消されてしまいましたし、Wikipedia

も酷かったね。

山口　そうですね。Xでも消されていました。

飛鳥　Facebookも同じで、YouTubeにも全く残っていません。これも、アメリカの影の力なんですよ。

山口　我々が本で訴えていたのも、全部無駄になってしまいましたね。

飛鳥　言っても誰も信じないんだもん。でも、信じた人たちはみんな助かっています。それと、免疫がなくなると癌が一気に進行するんです。それまで癌がなかった部分まで癌になって進行します。それでも、死因は癌による死で、絶対にワクチンで死んだとは発表されません。

ただ、希望はあります。ワクチンを打ってしまっても、デトックスで血液を浄化ろ過してやれば、血液中の金属は体外へ出て行きます。ワクチンは酸化力がとても高くて、殺菌作用が120％もあります。

だから、CDC（＊アメリカ疾病予防管理センター）も認可しているんだよね。それが5Gで粒子がくっついて槍みたいになると、血管の内側を剥離させて、剥離したかけらが血液を止めるケースも起きています。

山口　まさに、ロンギヌスの槍（＊磔刑になったイエス・キリストの死を確認するために、兵士ロンギヌスがわき腹を刺した槍）ですね。

飛鳥　ファイザーのワクチンには、まだもう一つ問題があるらしいんです。これは、今はまだ言えません。すでに日本では1億人以上が1回は接種している今、何を明らかにしてもすでに手遅れだからです。

山口　秘密のお話ですね。

ニューワールドオーダー（新世界秩序）を阻止するには――プーチンの敵はイルミナティだった！

飛鳥　黒幕は、ロスチャイルドとロックフェラーなんです。今、ロシアが悪いとかウクライナが大変だとか言っていますが、あんなのは表面でしかないんです。戦争の裏を見なきゃいけない。誰がこの戦争の糸を引いているのかと言ったら、それは、国際金融システムなんです。

山口　ダボス会議で決まった仮想通貨を使用させるということとの絡みで、この猿芝居をやっているという話がありますね。

飛鳥　ロスチャイルドだったら、いくらでもポンド札を刷れます。ロックフェラーはドル札をいくらでも刷れます。なぜなら、金本位制という枠が外れたからですね。
　刷れるだけ刷って、いくらでも儲けられるんです。高利貸しが印刷所を持っていて、自分で紙幣を刷っていると思えばわかりやすい。

山口　世界を、金本位制に戻すべきだと思うんですけれどね。

飛鳥　そう、金本位制に戻そうという動きもあるわけです。そのお金を握っている連中がグレートリセットをして、ニューワールドオーダー、すなわち新世界秩序を作ると言って、それに従わなかったら人間の血液に値するパイプを止めると言っているんですよ。金融、資産、資金、ドルなど、全部機能しなくなります。

特に西側諸国は、国際資本主義体制のイギリスなど、国際社会を支配するロスチャイルドとロックフェラーの言うことを聞かなかったら1日で国は崩壊するんです。

山口　プーチンは、結局のところイルミナティに喧嘩を売ったということなんですね。

飛鳥　プーチンは、敵はウクライナでもNATOでもなく、ロスチャイルドだとはっきり言っています。

山口　そうですね。

飛鳥　ロスチャイルドの本拠地はイギリスですが、実行部隊はスイスにあるんですよ。永世中立国を本拠地にしておけば、絶対に攻撃されないからです。ロスチャイルドは全ての銀行システムの中心、国際金融銀行ピラミッド構造をスイスに置いていますし、ロックフェラーは国連機関の全てをスイスのジュネーブに置いています。

山口　プーチンはけっこうしぶといですね。

飛鳥　前もって計画していましたからね。

山口　ロシアは以前から、仮想通貨を国のお金として認定していましたね。

飛鳥　もちろん。金《きん》もほとんど回収しているし、入念に準備を整えてから「ウクライナ侵攻」を始めているため、下手したら潰れるのはアメリカなど西側諸国ですよ。プーチンが日本にガスの供給を止めたら日本経済は相当なダメージを受けます。ドイツなんか、60％も依存していましたからね。

液化天然ガスはアメリカから送るから問題ないと言われていますが、アメリカだって金を取ります。それに、液化天然ガスが送られてきても、ノルドストリーム1&2をアメリカに破壊されたドイツには、液化天然ガスを普通のガスに戻す装置がありませんでした。

山口　ロシアはいざとなれば、日本のパイプラインを止めるということですね。

飛鳥　ロシアにとっては簡単な話なんです。キュッとパイプラインを閉じて我慢比べすればいいんですから。ロシアには原油も捨てるほどある。

もちろん、日本の天然ガスの対ロ輸入依存度は約10％で、電力供給の約3％に相当するため、他国へのエネルギー確保は簡単と思われるようですが、「ウクライナ侵攻」が「第三次世界大戦」に発展する危険性が増えるたびに、戦略物質となる石油、ガス、食糧の輸入先を見つける可能性は極めて低くなります。

小麦は、ロシアでは輸出量が世界で一番になるくらい収穫できます。大麦やトウモロコシもたくさん生産しています。窒素を含めて、肥料の原材料も豊富なのがロシアです。

潰れるのはロシアではなく、老害バイデン大統領に従った国だけですよ。

山口　トランプ前大統領は、プーチンがウクライナを攻めたときに「天才的な行動だ」と絶賛していましたね。

飛鳥　それは、彼がビジネスマンだからです。

山口　アメリカは、イラク戦争を引き起こしたときもそうですし、アフガニスタンに侵攻したときもそう。いつも変なことばかりにイチャモンをつけて、正義面して、世界の警察官のふりをしながらやりたい放題やってきたじゃないですか。

そのやり方が、崩壊しつつあるのかなと思います。

飛鳥　完全に崩壊していますよ。今は、テレビはどの局の番組でもロシアが悪者として見なされています。逆に嘘吐きがわかりやすいですよね。

先に言っておきますが、西側陣営の白人はオセアニアを含めても、人口比率は世界の17％

ちょっとで、残りの80％以上は有色人種です。
そして、有色人種の国、中国、インド、南米、中米、アフリカ、アラブなどは、どこもロシアを非難していません。

山口　そうなんですよね。

飛鳥　それなのに、日本ではテレビをつけると、「世界はプーチンを非難しています」「ロシアが倒れるのはもうすぐです」なんて平気で言っています。こんな嘘がテレビではまかり通っているんです。

山口　確かに、インドやブラジルも、ロシア側についていますよね。

飛鳥　インドは間違いなく、ロシアを応援していますよ。中国も完全にロシア側ですし。プーチンは何も困っていません。我慢比べしているのは、老害バイデン大統領についた側だけです。EUがどうなるか知ったことではないですけれど、悲惨な運命をたどるんでしょうね。

日本も、岸田首相がＥＵ側にホイホイついて行っていますが、どうなることやら。

山口　ＥＵは崩壊する可能性もありますよね。

飛鳥　崩壊します。

山口　今度はフランスが抜ける可能性がある。ドイツもそうです。

飛鳥　ドイツとフランスが競争し始めました。ＥＵでの主導権を握りにね。

山口　ロシアが虐殺をやっていると主張していますが、虐殺をやっているのはウクライナの正規軍以外で、ネオナチのアウトロー連中だという話もあります。

飛鳥　傭兵がたくさん来ていて、この連中はタチが悪いんだよ。夜盗みたいな奴らがほとんどです。

山口　ロシアの傭兵もタチが悪いらしいですね。シリアから雇ってきた兵とか。ウクライナにいたネオナチの連中は、自国民についてもかなりの人数を虐殺しているみたいですし。

飛鳥　どちら側も追い詰められたら何でも平気でやりますよ。その後、ロシア軍が虐殺したというフェイクニュースを西側が一方的に流すんですから、そんな一方だけが虐殺しない戦争など古今東西どこもなかったはずです。攻撃が激しくなるほど、ロシアが責められるわけです。

ウクライナ・ロシア戦争の本質はバチカンvsロシア正教会の宗教戦争でもある

山口　このまま行ったら、プーチンはヒトラー並の悪になってしまいますね。

飛鳥　それも全部、計算済みでしょう。私がプーチンだったら、ウクライナの東側を制圧したら良しとします。でも、このまま終わるわけがないんですよね。バイデン大統領がNATOの尻を蹴飛ばして西側の武器をどんどんウクライナに運び入れていますから。そうすると、いよいよとなったときに核兵器が使われる可能性があります。

山口　戦術核ですか。

飛鳥　戦術核だとすると、そんなに規模が大きくなくてもいいんです。

山口　キエフだけとか、局所を破壊するわけですね。

飛鳥　ロシア軍がいないところで大都市というとキエフとオデッセイだけですから。偏西東向きに吹くので、キエフからはヨーロッパには吹いていません。

だから、ヨーロッパはキエフに核兵器が落とされても我慢していれば大丈夫です。使うタイミングとして一番可能性が高いのは、ウクライナのNATOとEUへの加入を認める直前が一番やばいでしょう。

山口　核を使いますか。

飛鳥　ロシアも覚悟があるから、それだけのことはやるでしょう。

山口　ロシアがウクライナに侵攻した理由は、実は、ウクライナでアメリカがバイオ兵器の研究をやっていたから、その調査のためなんですよね。

飛鳥　確かに半分はそうですね。チェルノブイリ原発を押さえたのは、原発が戦術に使われることを避けるためです。原発から放射性物質を漏らしてしまうと、放射能がロシア側にも飛び散りますから。それを止めるためには、核施設を全て押さえなくてはいけないんです。

山口　僕はYouTubeで、アトラスラジオという番組を配信しています。YouTubeでは、ウクライナ側の肩を持つような立場でいないといけない風潮なんですよ。

飛鳥　私は、普段ウクライナをボロクソ言っていますけれど、YouTubeでは言っていないです。Xだけです。

山口　YouTubeで言えるとしたら、ウクライナもロシアも両方とも悪いということぐらいですね。

飛鳥　そう、実際、どっちもどっちなんだよね。そもそも、戦争をやっているときに民間人が銃弾で死んだとしても、どちらの軍が撃った弾なのかなんてわからないですよ。

それなのに、テレビではロシア軍の銃撃だと言うでしょう。日本のテレビはおかしい。ロシアの戦車がウクライナに押さえられたりすると、ロシアは実は弱かったなどと主張しているわけです。

でも、アメリカ軍もベトナム戦争ではどんなに弱かったか、みんなもう忘れてないですかね。ベトナム戦争では、アメリカが負けたんですよ。

山口　負けましたね。

飛鳥　ベトナムを占領すらできなかった。アメリカ軍なんて核兵器を使わないと弱っちいんです。

それでも、日本のテレビではそれを敢えて言わない。言うことといえば、ロシア軍が一般市民を攻撃して1000人死にました、とかだけです。

アメリカ軍は太平洋戦争のとき、東京でのB29の絨毯爆撃で、一夜にして10万人もの人を殺しているんだよ。

山口　そうなんですよね。

飛鳥　おかしい話だよね。要するに、日本のテレビ局は、歴史を知らない連中を騙そうとしているわけですよ。バイデンは殺戮者なんです。オバマ政権で副大統領を務めていたときに、シリア人を何百人も爆撃で殺しているんですから。

アメリカ人にとって、有色人種なんて人間じゃないという扱いなんです。アメリカには、マニフェストディスティニーという啓蒙思想があります。白人のアメリカ人の使命を果たすためには、有色人種を絶滅させても神は許してくれるという思想です。だから太平洋戦争のときも、民間の日本人をいくら殺しても問題なしだったんです。日本は真珠湾を攻撃するときも、決して民間人や民間施設の爆撃はしなかったんです。マニフェストディスティニーという思想と日本は全く異なっています。

山口　そうですね。そのアメリカのやり口に、ノーと言う勇気のある人がいないですよね。

飛鳥　いませんね。日本にはジャーナリストなんて一人もいませんからね。自分の命を懸けてでも本当のことを伝えるジャーナリズムなんて、もはや存在しないんです。

今すごいのはフォックス放送で、ロシア礼賛です。アメリカの嘘を毎日24時間、どんどん暴いています。アメリカ政府がいかに嘘をついているのかということの証拠映像を流しているんです。

フォックスはトランプ支援系ですからね。モスクワの国営放送は、これをロシア中に流し

ている わけです。

山口　バイデンには、ハンター・バイデンという息子がいますよね。

飛鳥　あいつが一番質が悪いですよ。

山口　息子がウクライナでスキャンダラスなことをやっていて、それを隠すためにこの戦争を長引かせているという話もありますね。

飛鳥　もちろん、それも真実ですね。バイデン大統領の息子だけではなく、ジョン・ケリー元国務長官の継息子、2022年4月30日にウクライナを訪問したナンシー・ペロシ下院議長の息子、モルモン教徒のミット・ロムニーの息子らは、ウクライナのエネルギー企業を含め、ウクライナのエネルギー関連企業のCEOに就任していました。

ウクライナはすでにアメリカに汚染されていて、さらに言うと、ウクライナの正教会とバチカンは裏で一体化していました。

バチカンといえば、昔ナチスの高官を逃がした組織「オデッサ」で知られています。戦後、戦争犯罪被疑者とされたナチス親衛隊員の逃亡を助ける地下秘密組織網「オデッサ」を作り、ナチス残党を海外に逃がしたのがカトリックのトップの連中でした。オデッサの名もウクライナの港湾都市オデッサのことです。

ウクライナは、いまやネオナチ化していたんだよ。ネオナチ化している連中とつるんでいて、今回の戦争の本質はバチカンvsロシア正教会の宗教戦争でもあります。

だけど日本のテレビは、プーチンが冷血漢でじきに倒れるとか、病気だとか、子供の悪口みたいなことをやっているだけです。

近い将来に世界規模のグレートリセットが起こる！

山口　北芝健さんに電話でインタビューをしたら、プーチンが癌にかかっている説を主張していましたね。

飛鳥　もしそれが本当なら、おそらく前立腺癌ですよ。前立腺癌の場合は、女性ホルモンを打つと癌の進行は止まるんです。

山口　となると、プーチンは女性ホルモンを打っているんですかね。

飛鳥　きっとそうなので、プーチンは少し顔がふっくらしているのかもしれません。

山口　感情的になってしまうとか……。だから戦争は終わらないんですよね。泥沼化しちゃって。

飛鳥　終わるわけがないですよ。この後、どうなるか知っていますか。僕が調べた範囲のことをお伝えすると、世界規模のグレートリセットが起こります。

世界を本当に支配しているのは、ロスチャイルドとロックフェラーです。なぜなら、世界中が資本主義の思想で動いているからです。国際資本主義体制のことです。

すなわち、資産・資本・金融がものを言う世界で、それを握っているのは銀行ですよね。銀行を掌握しているのがロスチャイルドとロックフェラーです。大西洋はロスチャイルド、太平洋がロックフェラー、米英で世界を支配しているのが、今の世界情勢です。

アメリカが一番強いというわけではないんですよ。

権力のピラミッド構造を考えると、アメリカの大統領よりもGoogleのほうが上なんです。だから、トランプ大統領のアカウントを簡単に凍結できるんです。

ピラミッドの一番上はリッチスタンと呼ばれています。いわゆる超富裕層のことですね。超富裕層は自分たちで紙幣を印刷して自分たちで回収していますから、マッチポンプなんです。

それは血液のようなもので、それこそロシアのガス田と一緒ですよ。止められたら、1日として西側諸国はもちません。だからG7はみんな言うことを聞くんです。

ワクチンを使って国民を殺せとパワー・ブローカーが命じたら、上の連中が国民を殺すんですよ。

山口　日本では大勢がウクライナに募金していましたけれども、あれはみんな武器になっていますよね。

飛鳥　当たり前ですよ。その武器をどこから買うのかといえば、主にアメリカとイギリスですよね。つまり、日本は募金をアメリカに払っているのと同じです。イギリスにも払っていますね。

イギリスとアメリカだけが儲かるシステムになっています。つまり、ロスチャイルドとロックフェラーですよ。

山口　この先、どうなるんですかね。

飛鳥　新世界の秩序によって、今までの国家体制はなくなります。

そのうちに、イスラエルが第三神殿を作ります。これは決定事項です。グレートリセットはこのために起こるんです。すぐにイスラムの大反乱が起こりますよ。

プーチンはシリア、イラン、サウジあたりまでの広域を虎視眈々と狙っています。

そしておそらく、プーチンはスイスに核兵器を打ち込む計画を持っています。ジュネーブは火の海になりますね。

山口　前に、スイスが中立の立場を捨ててロシアに攻撃を加えたのは……。

飛鳥　スイスはもうやばいと思っていて、EUに加担したんです。

山口　そうですね。

飛鳥　マッハ26のミサイルが撃ち込まれたら、止められませんからね。ただ、スイスの前にウクライナを平定しなくてはいけないから、まずキエフとオデッサに撃ち込むでしょう。でも、NATOにとって見れば、非人道兵器使用で非難はしても、自分たちに火の粉が降りかからないよう傍観することになるでしょう。

ウクライナをロシアが完全に平定する直前か直後に、岩のドーム（＊東エルサレムにある、イスラム教の第3の聖地）が破壊されます。

アメリカのエリア52からのHAARPによる人工地震か、イスラエルの右派による破壊が起きます。

そうするとイスラエル政府は、間違いなくあそこを封鎖します。その場合、イランもイラクもシリアもサウジアラビアも、スンニ派もシーア派も一緒に巻き込んだ大騒動になります。白人のアシュケナジー系ユダヤによる神殿建設が起きたらもう最後です。

それでも、エルサレムにアメリカ大使館がある以上、全アラブ・イスラム諸国はイスラエルに手出しできません。

EUに脱出したイスラム避難民の数は、2018年末の時点で2036万人に加え、350万人の難民申請者と550万人のパレスチナ難民の存在が報告されており、ドイツやフランスが、数千万人にのぼるEU内で怒り狂うイスラム避難民の対処を誤ると、大変なことになりますよ。

一方、全イスラム諸国で兵士を集めたら、100万人は動員できてしまいます。プーチンがその後ろからスイスを核ミサイル攻撃したら、イスラエル擁護に走るであろうEUは、十字軍のときの敵でもあり、右翼集団に弾圧されるイスラム難民を救う名目で一斉にＥＵ内に攻めていきますよ。

山口　そうなると、一部のエリートたちが既得権益を失うことになるわけですね。

飛鳥　おそらくプーチンは、昔のワルシャワ条約機構に加盟していた国のところで止まります。そこから先はＮＡＴＯに入っちゃうから。ＮＡＴＯ加盟国に自分たちの戦車が入るというのは、核ミサイルでスイスを倒すのと話が違うんですよ。

レーガン・ドクトリンという戦略がありまして、昔、まだプーチンがＫＧＢにいた頃に、旧ソ連が戦車部隊でＥＵに攻め込んで来る想定に対する対処法があったんです。仮にそうなったら、レーガンは先制核、中距離核兵器は使ってもかまわないと言いました。要はロシアに対して、アメリカは先んじて中距離核ミサイルを発射して対抗するということです。これが、レーガン・ドクトリンです。

この考えはいまだに残っていますから、逆も真なりで、ＥＵ内での先制核兵器の使用は米ロ相応にとって可能となります。

山口　なるほどね。

飛鳥　プーチンの立場でいえば、ワルシャワ条約機構だけ取り返せばいいんです。それだけで、とりあえずは「ウクライナ侵攻」の名目と大義が立ちます。それ以上になると、アメリカとの直接的な核戦争になってしまいます。

ですから、プーチン大統領にとって、イスラエルの「第三神殿」建設は非常に重要で、全イスラム・アラブ諸国をＥＵに攻めさせるでしょう。北アフリカからのイスラム諸国の軍勢は、全アフリカイスラム諸国軍を含め、地中海を越えて一気にヨーロッパに攻め込んできます。

日本の未来予測——「大難を小難に」できるのか

山口　それでは、ロシアの侵攻はまだまだ続くと見ていいですか？

飛鳥　ウクライナとの戦いはロスチャイルドのイギリスと、ロックフェラーのアメリカが援助する限りは終わらず、まだまだ続く続く。

核兵器がウクライナに落ちたら最後、ウクライナの債務の連帯保証人になっている日本は、膨大な利子を含めてロスチャイルドに支払わねばならず、核戦争勃発と同時に世界中の食糧は「戦略物資」となり輸出は禁止されます。

そうなると食糧80パーセント以上を輸入に頼る日本は、一夜にして飢餓列島と化します。

岸田首相がアメリカのいいなりになっていますから、日本人は餓死を覚悟したほうがいい。アメリカも国内重視で日本を助けませんよ。

自民党が馬鹿なんです。今でもガソリン代は高いですけど、今後はおそらくもっと高騰していくでしょう。電気代も上がっていき、停電も当たり前になるでしょうね。だから電気自動車に乗っている人はもう、車を動かせなくなる。

先ほど述べた飢餓の件ですが、そうなったら、日本ではおそらく何百万人も飢え死ぬでしょう。コンビニにある鮭弁や鮭のおにぎりの具材のほとんどの鮭は、調理される3日前までカナダにあるんです。それが飛行機で送られて、インドネシアで加工して、完成した商品が日本に運ばれてコンビニに並びます。

なので、核戦争になるとコンビニからは鮭おにぎりが消えます。日本の食糧自給率はおよそ30％と発表されていますが、これはカロリーベースの数字です。自民党は大嘘つきですよね。実質的な食糧自給率は20％もないはずですから。

山口　日本にも、食糧危機が迫っているわけですね。

飛鳥　危機なんて甘いものじゃないですよ。国民が餓死する光景が見えています。

山口　では、ワクチンと餓死についての警鐘が必要ですね。

飛鳥　いえいえ、それどころか最近地震が多いですよね。南海トラフ地震、東京直下地震、第二東北大震災、北海道全域地震が連動する日本大震災が来たら、大津波と富士山の噴火も連動して起こります。

山口　全部連動して起こるということですか。

飛鳥　日月神示はそう言っています。最終的には人口の８割は死ぬぞと言っているわけ。正確には８割弱ですね。75％くらいかな。

山口　「大難を小難に」と言っていますよね。

飛鳥　それが３分の１が生き残る預言で、それでも、ほとんどの日本人はゲノムワクチンを接種した以上、デトックスを積極的に行わなければすでに手遅れでしょうね。
　ロシアとの小麦における外交カードを残さねばならないにもかかわらず、自民党は老害バイデンの命令に従い、ロシアの外交官を自分のほうから先に追放したんだもの。

これじゃあまるで国交断絶でしょう。

ロシアは、北海道を自分たちのものだと主張していますが、あれはあながち嘘じゃない。ヤルタ会議という、アメリカとイギリスとロシアによる三者会談があった際、ルーズベルトとチャーチルは、日本を占領したらロシアには北海道と東北を与えると約束していたんですから。

ところが、ヤルタ会議の会期中に原子爆弾の開発に成功したものだから、ロシアのことは放っておこうということになり、それで計画がお流れになったものだから、スターリンが怒ったわけです。

山口　つまり、ロシアが攻めてくる可能性も十分にあるということですね。

飛鳥　旧統一教会と一心同体の自民党政権下では120％ありますよ。最悪はロシアと中国が結託してくることです。

北朝鮮のミサイルがどうしてあれほど高い精度なのかというと、実はロシアの設計図を元に製造している、つまり、ロシア製なんです。さらに、優秀な部品は日本企業がノウハウを教え込んだ台湾製で、国連に加盟できない台湾は国ではないので制裁を逃れています。ロシアの設計図と日本仕込みの精密部品ですから、成功するのは当たり前ですよ。

山口　中国が台湾を取りに来て、返す刀で沖縄を取って、ロシアは北海道を攻めるということもありえますか。

飛鳥　それは一昔前の考え方です。日本列島は横に長いでしょう。だから、日本海から来ます。石川県、新潟県あたりに上陸するんですよ。日本海を挟んで向かいにロシア軍の基地ウラジオストックがあるわけですから、宗谷岬まで回る必要はない。

その背後から北朝鮮が、中国と連携して日本目がけてミサイルを次々と撃てばいいわけで、そのほとんどが発射後数分で日本中に着弾します。

もしプーチン大統領が核を使ったら、その瞬間から物価はものすごいことになります。僕はいつも言うんだけれど、いざとなる前に、まず切り餅を大量に買いなさい。正月の売れ残りがネットで安く売られていたりします。一つでだいたいご飯一膳くらいのカロリーです。それを1日2回食べればいいですから。

あとは、今なら安いフリーズドライ食品です。現在はいろんなフリーズドライがありますから、それを最低1年分は買いましょうということです。

腐りませんし、軽いですから。最近のフリーズドライはすごくて、お湯で戻すだけで食べられます。もちろん水でもいいですが。

1年分でも四人家族分で四畳半くらいのスペースいっぱいで済みます。天井まで詰めばね。でも缶詰にすると床が抜けますから、缶詰だけは大量保存には向きません。

ロシアが核兵器を使ったら、日本だけがぼーっとしている間に、世界中が穀物の輸出を止めます。自国民の食を守らなくてはいけないですからね。

山口　となると、日本人が飢えてしまいますね。

飛鳥　下手をすると先進諸国の中で真っ先に死に果てますね。最悪は米を収穫する前に終わりが来ます。

山口　1年持たないでしょうね。

飛鳥　持たない持たない。家畜用のトウモロコシを食べることになるでしょう。農家や牧場にも強盗が次々と入って、夜中のうちに全部取られちゃいます。

ロスチャイルドとロックフェラーの、戦後の対日本戦略

飛鳥　ご承知の通り、ウクライナで核兵器が使われるかもしれない時期にバイデンが来日しましたよね。それも、日本に来る前に韓国に寄って、韓国の新しい大統領と会うのはまだわかる。でも、反日の塊だった文在寅《ムンジェイン》とも電話会談して。おかしいでしょう。

これは、日本から韓国に援助をしなさい、韓国をホワイト国へ戻しなさい、という圧力だっ

たんです。これには実は裏があり、アメリカは韓国にものすごい額の金を貸しているんです。為替スワップですね。期限がきたら返さないといけないんですが、韓国はなかなか返せないんです。でも、日本が韓国を援助すると、その金をアメリカが頂戴して借金はチャラになる。

山口　日本人だけが損する構図になっていますね。

飛鳥　日本人は踏んだり蹴ったりです。国や地方自治体なんて、いざとなれば本当に役に立たない。食糧の備蓄なんてほとんどのところで3日分しかないですし。

山口　各自が、自衛のために食料を備蓄することが必要ですよね。

飛鳥　そう考えている日本人は少ないでしょうね。食料がなくなるなんて思ってもいないでしょう。イトーヨーカドーでもイーオンでも、どこに行っても食料がいっぱいあるじゃないですか。備蓄しなさいと言っても、「ふーん」と思うだけでやらないんですよ。

この状況を、戦後の社会評論家の大宅壮一は「一億総白痴」と言いましたが、今なら茹でられて死ぬまでわからない「茹で蛙」でしょうか。

山口　そうでしょうね。

飛鳥　その点、ロシア人は違います。なぜなら、食糧がなくなることを経験しているからです。

山口　もうあと数年の命ですね、日本人は。

飛鳥　いや、第3次世界大戦が起こった時点で、半年ももたないと思いますよ。もう日本は終わりです。日本人が大好きな統一(教会)自民党と一緒に消え去ります。

山口　それで、「日本人奴隷化計画」は完了というわけですね。

飛鳥　だからもう、個人で生き残るしかないと私は主張しています。

山口　国としては終わっていると。

飛鳥　もう死に体ですね。あとはいかに個人が生き残るかだけです。プーチンが核を発射したら、それが日本終了の合図だと思ったほうがいいですね。それまでに、大量に食品を保管しておいたほうがいい。

日本民族を抹殺するために、ロスチャイルドとロックフェラーは、戦後の対日本戦略でここまで全部仕組んでいたのかもしれない。

山口　80年以上かけて。

飛鳥　時間をかけてゆっくりと、精神も一緒に殺してきたわけです。

山口　日本人は、国を守るために立ち上がらないとだめですよね。そういう気概を持った日本人がいなくなりましたからね。

飛鳥　いなくなったね。この先、海外に行くときはライフルを撃つ練習くらいのことはやってほしい。アメリカに旅行するなら、必ず銃を撃つ訓練をしてほしい。最低でも、それくらいやっていなかったら侵略者と戦えませんよ。その相手がアメリカになるかもしれませんし。

山口　なるほどね。

飛鳥　もし銃を渡されたとしても、「これはどうやって使うんだ」となりますよね。そうなったら困るでしょう。

山口　どうしましょうかね。

飛鳥　お互い社長ですからね。社長業の人はこれから大変ですよ。

山口　明るい未来はないですね。

飛鳥　でも、生き残ったらV字回復します。だから、1年間我慢しましょう。日本は第二次世界大戦後大変なことになりましたが、V字回復しましたから。

山口　日月神示にもそう書いてありますからね。

飛鳥　ええ、V字回復します。だから、それまでに死んだら意味がないわけですよ。

元凶はダグラス・マッカーサーだった――「戦争についての罪悪感を日本人の心に植え付けるための宣伝計画」とは

飛鳥　ワクチンを最初に打っているのが病院関係者ですから、2024年から医者はかなり少なくなります。自衛隊員や消防署員、市役所の人間もいなくなります。そういう時代がやってくるんです。
するとテレビではプーチン大統領が放った放射能のせいでこうなったと嘘の情報を流し始めます。悪いのはロシアだということを実況中継風に報道するでしょうね。ＮＨＫも含めて、全テレビ局がそういった方向になるでしょう。

山口 可能性は十分にありますね。韓国の方には申し訳ないですが、結局韓国人が芸能界や政界に食い込んで、日本人の上に君臨してきたじゃないですか。六本木でたむろしている金持ちにも在日は多いですよ。

飛鳥 駅前で馬券が買えるウインズがあるでしょう。あれも元をただせば、戦後、ダグラス・マッカーサーから戦勝国民に祀り上げられた在日が、「WGIP／War Guilt Information Program（戦争についての罪悪感を日本人の心に植え付けるための宣伝計画。第二次世界大戦終結後、連合国軍最高司令官総司令部が、日本占領政策の一環として行った日本国民の再教育プログラム）」の一環だった「在日特権」「在日就職枠」「通名制」「特別永住権」で一番優遇され、ＧＨＱから駅前の一等地をタダでもらってパチンコ店が始まったわけです。

闇市でも、アメリカ軍から払い下げられた物資は全部、在日シンジケートのルートをたどっていました。

山口　そうですね。

飛鳥　彼らはアメリカから特別待遇を受けていたんです。マッカーサーは朝鮮民族に、「君たちは連合軍だ」と言いました。韓国はいまだに戦勝国だと言っていますが、あれは彼らにとってみれば正しい発言なんです。

元凶はマッカーサーなんですよ。マッカーサーが厚木基地に来たときに、在日はすでに戦勝国民だと言っていました。ということは、あらかじめ米軍が裏でプロパガンダを流していたということになります。

山口　そうですね。

飛鳥　彼らには「在日特権」、そして「在日就職枠」があります。最近まで大学入試もフリーパスで、いつでも入学できました。今も一部ではそうです。特に戦後は東大も含めて、全部の大学で「在日特権」が活用され、霞ヶ関の国家官僚も同じで、在日なら高卒でもパスしています。

テレビ局にも就職枠があり、在日なら無試験で入っています。

山口さんもテレビ業界に関わりがあると思うんですが、私はかなり前からテレビ界にいるからわかります。在日のネットワークがあって、重役はほとんど在日なんですよ。新聞社もナベツネが居座る読売を除くと、ほとんど全部がアウトですね。

「俺が死んだら日本はどうなるんだ」とナベツネはいつも言っていますが、ナベツネの死と共に読売も在日支配になりますから、生臭いほど正しい発言です。

山口　なるほどね。

飛鳥　ＮＨＫを筆頭に韓流ドラマを頻繁に流すのも、テレビ局の上層部が在日で固められているからです。

山口　明らかに不要なところで、韓国料理ベスト5とか出てきますもんね。

飛鳥　在日の人たちは、失業することもほとんどないはずですよ。さらに言うと、韓国籍なのに日本人扱いされている国会議員も自民党にいます。というか、国会議員もさることながら、地方には旧統一教会の信者が自民党議員になっているのが山ほどいます。

山口　背乗《はいの》りってやつですね。

飛鳥　そうそう。日本で年金から何からもらっているんです。

山口　自分たちは年金積立をしてもいないのにね。

飛鳥　特権階級ですからね。いわゆる上級国民なので、交通事故を起こしても、車が悪いとすぐに言いわけしてきます。

「メーカーが悪いんだ。俺は特権階級だぞ、文句があるのか」なんて言ってきます。

日本人は基本的に優しいんだよね。その優しさが在日につけこまれてしまうんです。
ただし、気をつけないといけないこともあります。韓国には済州島《チェジュ》という島がありますね。あそこは元々、「日韓併合」で日本領だったんです。ですから、済州島生まれだからといって、全員が韓国人とは限らないんです。ルーツが「日韓併合」の頃の日本人のこともあるんです。

山口　なるほど。

飛鳥　それから、夫か妻のどちらかが朝鮮民族の場合ですね。これにもいろいろなケースがあるんです。さらにクォーターやハーフにも分けられますね。それから、韓国ではなく北朝鮮系もあるのでややこしい。これらが日本人の目から見たらむちゃくちゃになっているんですよ。

あまり知られていないことですが、１９７４年に、当時から数えて3代前の戸籍謄本、除籍謄本が自民党によって全部削除されたんです。

山口　見られなくなってしまったんですよね。

飛鳥　なぜ削除されたのかというと、謄本を見ると誰が朝鮮民族かすぐにわかってしまうからです。ですから、自民党が全部廃棄させました。でも、実際は廃棄される前に「警察庁」が全部保管していたんです。これを世に出せば、地方を含む自民党の約80％が在日だということがわかると思います。

でもこれを出すかどうかを決めるのは自民党なので、今の体制下で世に出ることはないでしょう。

山口　そうですね。飛鳥先生は、親戚に在日の方はいないですか？

飛鳥　知らずに在日と結婚した親族はいると思います。まあ、愛があれば何とやらですから。

山口　よくある話なんですが、在日の人には、操られるんですよね。

飛鳥　操り方はすごく上手いですね。訓練されていることが多いです。今は中国も、スパイ活動のような婚活を利用しますよね。茨城県北部の有名な大企業に勤める技術者に中国人の女性が近づいて、結婚するんですよ。それで情報を聞き出して、中国政府に流す。

山口　自衛隊にも多いんですよね。

飛鳥　いるいる、これが多いんですよ。だから、これからの日本は大変ですよ。諸悪の根源はアメリカの傀儡《かいらい》の自民党ですけれど、選んでいるのは日本人の有権者ですから。

山口　そうですね。この人が良いと思ったからこの党に票を入れたというのならまだわかるんですが、自民党だからとか、そんな理由で投票する人が多いですね。

飛鳥　今、若い人たちの支持政党も、ほとんど自民党なんです。

山口　なんで自民党がいいんでしょうね。

飛鳥　あやかり世代、マニュアル世代だからです。自民党様がいるから、自分たちのこれからの生活も成り立つんだという考えです。

山口　かといって、自民党以外に投票しようにもロクな政党がないですもんね。

飛鳥　そう、それもあってもう自民党でいいやと思っているんでしょう。

山口　維新の会は、中国に影響を受けているじゃないですか。他の党も、たいしたことがないですね。

飛鳥　要するに、日本の政治は与党も野党も在日だらけになっていて、もうすでに手遅れ状態なんです。だから、破局的な出来事が起こった後に生き残った人たちで、もう一回立て直すしか、解決法はないんですよ。

山口　その期限が迫っているということですね。

飛鳥　そのうち、イスラム教徒が世界中でものすごい数のテロを引き起こしますよ。手がつけられなくなります。

山口　日本でもテロが起こりますか。

飛鳥　起こったらどうしようもないですね。慣れてないですから。消防署員はみんなワクチンを打っていますから、かなりの人数がいなくなるでしょう。
　するとテロで火事になっても、消防車は来ませんからね。ものすごいことになりますよ。

山口　とんでもないことですね。

『ウォーキング・デッド』が現実化する

飛鳥　ワクチンを打つと脳が溶けることは、すでに証明されてわかっています。それでも生き残ると、自分の意思とは関係なく歩き始めるという事態に陥ります。

さらに脳が溶けてくると下半身が激しく痙攣するんですが、その前に、お腹が減ると人にまで噛みつきます。そうすると、唾液から脳を溶かす変異型プリオンたんぱく質が感染します。

山口　ゾンビと一緒じゃないですか。

飛鳥　だから米軍は、ゾンビと対抗するための訓練を去年したんです。これは有名な話で、アメリカのゾンビドラマの『ウォーキング・デッド』ばりに、本当に歩いてくるんだよ。

唾液だけではなく、夏場に握手すると、汗が手の毛穴に入って変異型プリオンたんぱく質が感染します。

ＣＩＡなんて、戦略的にそうしたことを平気でしますからね。握手で殺しちゃうんですから。

山口　痛くないようにやりますからね。

飛鳥　そう痛くない。本人は手をコーティングしていて、透明の膜みたいなものの上にウイルスを噴射している。これで握手をした相手は手のひらから感染して、すぐに死ぬんです。おそらく1時間も持たない。

イギリスの殺し方では、傘の先に毒をつけて、プチッとつく方法もありますね。ロシアでは放射性の毒を盛るんですね。殺し方にもお国柄があって。

山口　そうですね。イギリスは親子で殺された元スパイがいましたね。

飛鳥　いたね。本当に深刻な話なんですよ。電気が使えなくなった場合、タワーマンションだと、人が死んでもすぐには回収できませんから、タワマン自体が巨大な墓になります。

地方自治体も機能しなくなります。人口の3分の1くらい生き残るのなら、なんとかなるかもしれないのですが。

山口　日本では3分の1で4000万人ですよね。日本人は、陰謀論とかいって頭から信用しない人も多いのですが、実際、欧米ではいろんな大企業が、謀略で悪いことをするんですよ。

日本人は基本的にフェアなことしかしないから違和感があるんですが。「そんなのは陰謀論でしょう、バカバカしい」とか言いますけれど、相手は平気で謀略を仕掛けてくるということを理解したほうがいいですね。

飛鳥　それから、水はどこから引いていますか？

山口　僕は井戸水を引いていますよ。

飛鳥　それは素晴らしい。井戸水が一番いいんです。今なら、井戸水は1メートルの深さが1万円で掘れたりします。昔は大変な工事が必要だったのが、今は、パイプを2本通すだけだからね。

山口　そうなんですね。

飛鳥　だから簡単に引けるんです。ただ、電動でくみ上げるのではいけませんよ。電気が来なくなったら汲めなくなるので、昔ながらの手動の装置も電動以外に接続しておけば大丈夫です。

山口　そうですね。

飛鳥　すでに緊急ですよ。プーチン大統領が核のスイッチを押したら、明日から食料や水に困るような未曽有の事態が始まるんですよ。

すでに、いくつかのサプライヤーは穀物の輸出を止めています。ブラジルは最初に止めたかな。本当に臨戦態勢に入ったら、自民党の岸田首相では支えきれない、もう終わりですよ。おそらく老害バイデン大統領と、あとラーム・エマニュエル米国大使にケツを蹴飛ばされて言うことを聞くだけでしょうから。

山口　そうでしょうね。

飛鳥　それでも、飛鳥堂とタートルカンパニーは生き残らないといけないんですよ。

パート2

「日本人奴隷化計画完了」後に起こる「最後の神一厘」とは

今後の日本の戦略について

山口　やはり、日本人はもう、完全に奴隷化されましたね。

飛鳥　皆さんご存知かどうかわかりませんが、私の世代では「水と安全はタダ」と言っていました。団塊の世代です。あれが、完全にアメリカの戦略が成功したという証拠です。

山口　社民党や日本共産党が主張している、「憲法9条を守れば戦争は起きない」という言い分は幻想だと思うんですよ。

　憲法9条を守っていても、敵が攻めてきたら攻められっぱなしになるじゃないですか。だから、他の国を攻めようとは思わないにせよ、日本の領地、領空、領海はやっぱり守るべきだと思うんですね。なぜ「自衛隊を廃止しろ」と言ったり、「憲法9条を守れ」と言ったりするのか疑問に思います。

飛鳥　あの意見はものすごくおかしいですよ。人体から白血球を抜けと言っているのと同じです。白血球は、体の外には出ないでしょう。あくまで自己防衛の身体機能じゃないですか。白血球は人体にとって絶対に必要なものですし、国にとっての自衛隊も、それと同じです。

山口　絶対に必要ですね。

飛鳥　それなのに廃止しろと言っている団体がいまだにあるわけですよ。何も積極的に戦争しろとは言わないですが、せめて侵入する敵ぐらいは打ち落とすか沈めないとだめでしょう。

山口　ウクライナの状況を見ている限り、ロシアが日本海側から攻めてきたら、男は殺されて、女はレイプされるでしょう。中国が攻めてきたら、日本人もみんな漢民族になったとか言うでしょうね。

飛鳥　中国の一部の人は、「魏志倭人伝によると日本は魏という古代中国の占領地だった」と主張しています。だから日本人は、日本列島から出ていけと言うんですね。

中国には、第一列島線と第二列島線という軍事上の防衛線がありますよね。

第一列島線は九州、長崎あたりが含まれています。中国の考えでは日本は領土の一部なんですよ。第二列島線は東京からですから、東京も中国領と考えているわけです。
２００７年、中国海軍高官がアメリカの海軍司令官に、「中国とアメリカで太平洋を二分しよう」という分割案を持ちかけています。

２００８年、ティモシー・Ｊ・キーティング太平洋軍司令官が、議会でこのように証言したと新聞記事にあります。
「２００８年3月11日の連邦議会上院公聴会において、当時の米太平洋軍キーティング司令官が、中国による太平洋分割案について言及。キーティング司令官によれば、２００７年5月に訪中した際、中国海軍高官（楊毅少将海軍武官）から太平洋分割案の提示を受けたとのことであり、中国は明らかな影響力が及ぶ範囲の拡大を考えていると証言しています」と書いてあるのです。

山口　防衛費がＧＤＰの2％くらいなのは、ヨーロッパだと当たり前じゃないですか。日本の防衛費がそれくらいの水準でも、別に悪いとは思えません。核シェアリングも賛成です。

核を持ってはいけないという非核三原則は守らなくてはいけないけれども、ドイツみたいに核シェアリングをして、北朝鮮がミサイルを撃ってきたらこちらも撃ち返せるぞという姿勢を見せることは大切だと思いますよ。

日本は、北朝鮮にいいように脅迫されていますからね。

飛鳥　僕の考えは少し違っています。中距離核ミサイルを、アメリカの企業に発注するといいのですよ。

山口　アメリカの企業にですか。

飛鳥　中距離核ミサイルだと、当然グアムまでは届きません。でも、尖閣諸島なら届きます。当然、北朝鮮にも中国にも届きますし、ロシアの一部も射程圏内です。

このミサイルをアメリカ政府を介してアメリカの企業に発注すれば、アメリカからすればウハウハですよね。

そもそも日本はアメリカの属国のようなものですから、アメリカの許可がないと核ミサイルは発射できません。アメリカにすれば日本の首根っこを押さえておいて、日本が勝手に暴走しないようにしておけばいいわけです。

もっと言えば、ステルス機もそうですが、海外輸出用のアメリカの戦闘機には全て自爆装置がブラックボックスとして付いていますから、アメリカに逆らうようなことがあったら全部破壊できるという。もし自衛隊がアメリカ軍に反旗を翻《ひるがえ》せば、一気に、全部墜落させられるんですよ。

山口　アメリカに都合よくなっていますよね。

飛鳥　だけど逆に考えれば、持っていること自体に強みがあるんです。

山口　寄らば斬るぞという感じがします。

飛鳥　そして、発注しているうちはアメリカも利益を得られますので、ノーとは言いにくくなると思います。

山口　ウクライナでの蹂躙《じゅうりん》の様子見ていると、本当に他人事じゃないなと思います。北海道はロシアに取られて、九州は中国に取られちゃうと思えますね。

飛鳥　僕ね、日本のテレビ局はわざとボケをかましているんだろうと思うのですが、ロシアが北からやってくると言っています。違うって。ウラジオストックから日本海に攻めてくるんです。東京征服なんて、丸1日あれば済むんです。北海道から攻める馬鹿はいません。

山口　佐渡島あたりに基地を作ればいいんですよね。

飛鳥　いまだにとんちんかんなことを言っているんだよね。自衛隊も、本当にロシアが北海道から攻めてくるなんて思っているはずはない。

でもそう言っておかないと、自衛隊への反対勢力が、平和憲法を利用しながら国防自体を悪として破壊しようとしてくるからね。社会主義信者の連中は必ずそう言ってきます。

山口　社民党はとうとう消えてなくなりそうですけれどね。

飛鳥　社民党は、というか旧社会党は、自民党と手を組んだ段階で終わったんですよ。

山口　もう消えていく運命なんでしょう。自民党の策に乗ったからですね。

飛鳥　みんなあれで一気に党を抜けたからね。

繰り返しになりますが、今の国会は与党も野党も、どこを選んでもほとんど在日が中心です。彼らのバックにそれぞれの在日シンジケートがあって、次々と選挙に在日候補者を送り出していますからね。

奥手な日本人が、「どうしようかな、立候補しようかな」と悩んでいるうちに、彼らは積極的に出馬するんですから、当然勝てないですよ。もちろん、旧統一教会も絡んできますからどうしようもありません。

お笑い政治時代の始まりとは

山口　問題は、彼らが本当に日本を愛する気持ちを持っているかどうかですよね。

飛鳥　日本人のような気持ちはまず持っていないでしょうね。その代わり、彼らにとっての列島への執着はありますし、コリアJAPAN人としてのプライドで、半島を軽蔑する傾向にあります。

なぜなら、李氏朝鮮の末裔（射殺された安倍晋三氏）が支配したコリアJAPANが、下僕の両班《リャオパン》が治める半島より上位というプライドがあるからです。

余談ですが、今、吉本興業が各自治体に一人ずつ芸人を配置しているんです。自分たちが仕事を取ってきて、スーパーマーケットが開店するときのキャンペーンなどを仕切る。そういう仕事を受けるための事務所ですが、これって、選挙事務所にもなる政治活動の場合と全く同じやり方です。

山口　そうですね。

飛鳥　将来的には、おそらく吉本党という政党を作るんですよ。所属する議員の数は創価学会・公明党を追い抜き、お笑い人気で票を伸ばし自民党に次ぐほどの数になります。それで、選挙のときは応援演説会場でお笑いをやる。有名な芸人がどんどんやってきて、選挙がお笑いショータイムになる。

そうすると、寄席の会場と化した国会での視聴率がグングンと上がるわけ。テレビ局もウハウハで視聴者を含め全てがウインウインとなります。

こうしてお笑い政治時代が始まるわけです。そのためにずっと封印されていたのが島田紳助党首ということに。

吉本が政治の場に本格的に出てきたら、今の若い連中は吉本党と書きますよ。余裕で勝てるでしょうね。まずは第二党になりますよ。吉本は東京のテレビ局のキーステーションを全部制覇しましたからね。ＮＨＫから民放からあらゆるところに必ず吉本芸人が入り込んでいます。

お笑いだけじゃないんですよ。ドキュメンタリーから何から、あらゆるジャンルといえます。従わない局があったら、

「じゃあ、お宅からうちの芸人を全部引き上げさせてもらいまっさ」と言えばいいわけです。

誤解のないように言っておきますが、僕は在日の人たちに対してアンチなわけではないんです。歴史が歴史なだけに、在日の人たちが日本に反感をいだいていても仕方がないでしょう。

ただし、そのバックにアメリカがいて、ステルス支配しているのが問題なんです。大和民族支配の胴元として、在日のシンジケートを使う体制に反対しているのです。

人間育成の基本となる教育現場の最高峰の大学の内部も、在日シンジケートがかなり支配している。東大、阪大、京大も大差ないのですが、最も酷い日本大学の実態をみんな知らないだけです。今、日本の教育現場がとんでもないことになっている。

テレビ局も大手四大新聞社も一つを除き、ほぼ在日シンジケートに押さえられています。

山口　巧妙にやられていますよね、アメリカに。

飛鳥　横田基地にはＮＳＡ（＊アメリカ国家安全保障局）の極東本部があって、ＤＥＬＬは実はＮＳＡのダミー会社なんです。スノーデンはそう暴露しているのに、日本人は全く気にしていない。

遅延死ワクチンをばら撒いたのもビル・ゲイツなのに、気にするどころか、軽井沢で自然を破壊して要塞規模の別荘を建設しても、何処吹く風……。

「ビル・ゲイツさんにはWindowsでお世話になっています。偉大な彼がそんなことをするはずはない」とか言うんだよね。

そして、自民党さんがワクチンを打てと言うから打つんですよ。

山口　それで死んじゃうんですね。

飛鳥　前年比の死亡率が、毎月大きく増加しているんですよ。その増加の原因は、不明とされています。

山口　そう言うしかないでしょうね。圧力がかかるから。

飛鳥　アメリカからね。吉本党が出てきたら、並の政治家はもう勝てないです。

山口　キャラが立っていないからですね。

飛鳥　芸人は喋りが上手いから。

山口　でも、吉本党に唯一対抗できる組織がありますよ。

飛鳥　どこですか？

山口　政治家女子48党、旧ＮＨＫ党です。

飛鳥　あれすごいね。

山口　ＮＨＫって商標登録されていないんですかね。

飛鳥　ありえますね。あまりにも広がっているから、いちいち商標登録をする必要はないという。

山口　登録するまでもないということですね。

飛鳥　例えば、僕が漫画本を出すじゃないですか。そうすると奥付には必ず初版の発刊日が書いてあるわけです。だからそれが「飛鳥説」「飛鳥情報」の証拠になるから、いちいち登録なんかしないですよ。

山口　そうですね。特に昔の日本ではそうですよね。

飛鳥　でも、飛鳥昭雄という名称は中国で商標登録されているらしくて、中国では自分の名前が使えないんです。

山口　じゃあ、中国に飛鳥昭雄がもう一人いるんですか？

飛鳥　いや、いない。ただ勝手に名前を登録しているだけです。ちなみに、富士山も使えないんですよ、中国では。勝手に登録されちゃってるから。

山口　怖いですね。

飛鳥　節操ないですよ。高倉健とか、有名人はほとんど登録があるみたいですよ。山口敏太郎もあるんじゃないかな。中国へ行ったときに山口敏太郎ですと言ったら、使用料を払えと言ってくるでしょう。

山口　私は中国でも本を出していますよ。台湾と韓国でも出しています。

飛鳥　だったら、登録されていますよ。中国で本を出版している日本人は、ほぼ間違いなく登録されています。

飛鳥　それから、もはやみんな気にしていませんが、日本では宗教団体が政党を作ってはいけないんです。憲法でそう定められているんです。それなのに、憲法違反を平気でやるようになっています。

山口　そうですね、公明党が最初です。

飛鳥　政界で法制化と実行を担当する「清和会」を中核とする在日シンジケートの「自民党」は、憲法に「政教分離」を定めた「憲法第二十条第一項（後）」で「如何なる宗教団体も、政治上の権力を行使してはならない」とあるのに、自民党協力者として東京の「アメリカ大使館（極東ＣＩＡ本部）」が「内閣法制局」に命じ、〝問題無し〟とさせたんです。

創価学会を実質的に支配していた池田大作氏は、朝鮮名「ソン・テチェク」で、旧統一教会を興した半島系の文鮮明と同じ朝鮮民族です。

池田氏の父は「日韓併合」後の「太平洋戦争」直前に半島から渡った男で、日本国内に先祖の墓は無く、日本人を証明できる江戸時代からの寺の「過去帳」も無ければ「系図」もない。

「Ikeda SGI 会長スピーチ『来光』の和光新聞」(2005.5.20 637号)で、池田大作氏は「小国(日本)の倨傲、大恩人の貴国(韓国)を荒らし」と記し、豊臣秀吉の朝鮮出兵に対しても、朝鮮から仏教を始め様々な文化的恩恵を受けた大恩を踏みにじる侵略と非難、日本が大恩を受けた朝鮮を裏切ったのは半島への劣等感の裏返しとし、韓国と全く同じ思考パターンを展開していました。

公明党も、母体が宗教団体ですからね、これが認められていなかったら、オウムは政治に出てこようとしなかったでしょう。

ただ、公明党は今大変な状況ですよね。内部で若い人たちが造反を起こして、どんどん離れています。だってとっくに死んでいる池田大作氏が生きていると断言する以上、立派な半島系カルト宗教でしょう。

山口　要するに、自民党にすり寄っているのは上層部だけというわけですね。

飛鳥　旧統一教会も日本に入ってきてから、壺を売ったりしています。昔は花も売っていました。

そして、自民党議員の多くも、旧統一教会に入ったんです。

国際勝共連合という反共主義の政治団体があるのですが、旧ソビエトが北から攻めてくるのを阻止するために文鮮明が作った組織です。彼は、旧統一教会の教祖でもあります。

その国際勝共連合に地方を含む自民党議員の多くが一斉に加入しました。自民党系の市議会議員もほぼ旧統一教会派です。

山口　だから自民党のお偉いさんは、統一教会のイベントに参加しているんですね。

飛鳥　そうです。以前、韓国と日本の間に、海底トンネルを作るという事業がありました。途中で頓挫しちゃったけれども、それをいまだにやろうとしていますから。

自民党はその頃からすでに韓国系なんです。もう政治はむちゃくちゃになっていますので、吉本が出てきてもおかしくない状況です。むしろ、出てこないほうがおかしいですね。

山口　吉本のエピソードはまだありますよ。僕が都市伝説という言葉をテレビ東京で使おうとしたら止められました。都市伝説というワードは、吉本のものなので使えないというのです。都市伝説なんて、昔から使われている普通の日本語ですよ。

その後、某出版社で都市伝説の本を一冊書こうとしたら、都市伝説についての本は出せませんと言われたんです。関暁夫さんが都市伝説本を書いているからです。

飛鳥　言っておきますが、都市伝説は元々アメリカ発祥ですからね。アメリカが創作したんです。

山口　そうですね。ユリ・ゲラーを演出したのもアメリカですもんね。

飛鳥　都市伝説で、タクシーが霊園の前で女性客を乗せて、目的地に着くといなくなっていたという話がありますよね。シートが水で濡れていたなんて。

これは、アメリカで作られた立派な都市伝説です。

山口　消えるヒッチハイカーのエピソードもそうですね。

飛鳥　日本製だと思ったら全部アメリカ製ですから。都市伝説は関暁夫氏の発明ではないんです。

もっと言っておくと、「信じるか信じないかは、あなた次第」という決めゼリフがありますよね。あれを最初に言ったのは私ですから。

ちゃんと証拠はあるんですよ、データハウスに。裁判をやったら俺は絶対勝つからね。

山口　マスコミも、大企業の思うがままになっているのは本当に解せないですね。

飛鳥　吉本が第一政党とまではいかないまでも第二くらいになったら、日本人はお笑いだね。笑いながら死んでいく国になるでしょう。

山口　もうおしまいですね。

飛鳥　だから、なんとかしないといけないんだよ。

山口　なんとかしたいですよ。僕も四国の県の知事とかになりたいんですけれどね。そして四国から攻め上りたいですよ。でも、かみさんとお袋に反対されています。

お袋には、

「あんたはちょっと目を離すとすぐ選挙とか日本の立て直しとか言うから、首根っこを捕まえておかないとだめだ」とよく言われます。

かみさんは、

「選挙に出たら離婚します」と言うんですよ。

飛鳥　それは辛いな。

山口　「じゃあもし、息子が選挙に出るといったらどうする？」って聞いたら、息子はいいらしいんです。

飛鳥　ひどいなぁ。

山口　息子には自由にさせるんです。

飛鳥　でも考えてみたら、お母さんも奥さんも山口さんの性格をわかっているわけだね。だからやめたほうがいいと言っているんですよ。

山口　絶対に暗殺されるって。確かに俺、死んじゃうだろうなと思います。

ロッキード事件は、山の民、田中角栄を失脚させる罠だった

飛鳥　繰り返しますが、自民党が在日系だらけだということの本当の問題は、それを仕向け

たのが実はアメリカだということなんですよ。

一番の悪はダグラス・マッカーサー。マッカーサーが日本人を抑え込むために日本人以外の民族を使って、傀儡政権を起こしたんです。

日本人を封印してしまえ、できれば天皇陛下も入れ替えてしまえばいいという考えでした。そしてマッカーサーは、WGIPという、戦争についての罪悪感を日本人に植え付けるための教育を押し付けてきました。

その反面、アメリカはベトナム戦争、イラク戦争、アフガニスタン戦争でやりたい放題だったわけです。

山口　最近は、GHQが焚書にした本が、どんどん復刻されているようですね。日本人が目覚めつつあるんでしょうか。

飛鳥　GHQは、日本人を精神的に殺すようにしたんだよね。
先に申し上げたように、日本でパチンコ屋を開業させる手引をしたのもアメリカです。日本のほとんどの駅前にはパチンコ屋があります。そして、パチンコ屋といえばほとんど半島系ばかりです。

山口　日本人が経営しているパチンコ屋は？

飛鳥　少ないですね。なぜ駅前の一等地に彼らがパチンコ屋を開けたかといえば、ＧＨＱが土地を無償で提供したからです。無償ですよ。

山口　そうですね。

飛鳥　当時は闇市がありまして、占領軍などの物資が流れていたわけですが、まずは全部、日本人じゃない人たちのところに流れていたんですよ。彼らがボスになって、闇市を仕切って儲けられるようなシステムをＧＨＱが作ったんです。

在日といえば、ドイツ人やアメリカ人の在日もいますからね。在日特権というかたちで優遇されたわけです。

それから、在日就職枠もありました。日本人じゃない在日朝鮮人を優先的に採用しなければいけないというルールを自民党が作ったわけです。

自民党の上層部は岸信介も含め、ほぼ全員が日本人ではない在日朝鮮民族なんです。岸信介の弟が佐藤栄作ですし、その後も日本人以外が続いていきます。

そしてアメリカは、首相が日本人ではないときにしか重要な条約を結ばないんです。だから、田中角栄とは絶対に結びませんでした。

山口　田中角栄は山の民ですよね。

飛鳥　そうです。角栄はこの状態じゃだめだ、日本はアメリカに完全に支配されていると言って、中国、ヨーロッパ、アメリカの三角の三元外交をしようとしました。とても正しいやり方です。

けれども、アメリカがそれを気に食わないということで、ロッキード事件を仕掛けられて追い落とされたわけです。

山口　はめられたんですね。

飛鳥　そういうことですよ。ところがあれ、ヨーロッパでは、王族や首相がピーナッツ（賄賂）をもらっていて、そんなの当たり前なんですよ。日本だけが特に問題視されたんです。
　つまり、あの事件は、完全に田中角栄潰しだったということです。

山口　そういうことですね、間違いなく。

飛鳥　それで日本人はみんな、田中角栄は悪い奴だと決めてかかって、その後にしようとしていた日本を救うようなことも、全部潰しちゃったでしょう。簡単に騙されるんですよ。テレビ局も、日本人ではない民族がほぼ無試験で入社してきて、出世していって……。日本人を蹴落としていくわけです。
　そのうちに、上のほうに残るのは全部在日になったんです。テレビ局、新聞社、それに大企業、大学、全部そうです。大学なんか、試験を受けなくても入れたということがたくさんあったんです。

山口　そうらしいですね。

飛鳥　証拠さえ、残っていません。完全に秘密裡に行われますからね。芸能界でも同じです。医療関係者でも同じで、無能な人でも上に行けて、医療関係企業の会長になるわけですよ。もう、やりたい放題ですね。

それで日本人は、「水と安全はタダ」だと言い聞かされて育ってきました。チコちゃんじゃないけれども、「ぼーっと生きてんじゃねーよ」と言いたいですね。いまだにぼーっと生きているから、完全にやられちゃってるんですよ。

山口　そうですね。結局、奴隷なんですよね。

飛鳥　プランテーション農場で働いている奴隷です。それでアメリカは毎年毎年、アメリカ国債という名の植民地税を取るわけです。

山口　思いやり予算という名のですね。

飛鳥　思いやり予算に加えて、アメリカの国債を買わされるわけです。その金は絶対に戻ってきません。日本のインゴット（金塊）も全部アメリカで預かるとか言って持っていっちゃう。余った金は、韓国へ援助しなさいという指示もあります。

マッカーサーは、WGIPという戦争罪悪感プログラムによって、韓国が日本から永久に金を取れるシステムを作りました。アメリカは韓国に、日本に罵詈雑言を浴びせかけろと今も言っていることになります。

大韓民国の初代大統領だった李承晩とマッカーサーはツーカーで、マッカーサーは日本を未来永劫責め立てろと言っていたのです。

それなのに、日本人はマッカーサーに対して、あなたが本当の正義です、日本を助けてくださいました、ありがとうございますと言っているわけですよ。アホですね。

安倍晋三氏暗殺の黒幕はアメリカだった!?

山口　少し話が飛びますが、安倍晋三さんの事件についてはどう思われますか？

飛鳥　あの事件はある意味で急転直下でしたね。

山口　安倍さんを殺した犯人にはバックがいるんですか？

飛鳥　犯人として逮捕された男は、海上自衛隊の経験があるんでしたよね。

山口　海自に3年いたそうです。

飛鳥　それで元総理大臣を殺した……、全く同じことが昔あったんですよ。海軍の将校たちが起こした五・一五事件です。

山口　そうですね。さらに、陸軍も負けじとばかりに二・二六事件を起こしたわけです。次は、おそらく陸上自衛隊の関係者が何かやるんじゃないですかね。

実は、今回のことを予言していた超能力者がいるんですよ。

飛鳥　へぇ。

山口　夢で予言する、あるブロガーが、２０１９年のブログで暗殺計画がすでにあって、安倍さんが消されると言っていました。そのキーワードが、海だと言っていたんですよ。

その人は、海辺で選挙応援をしている最中に安倍さんが撃たれるんだろうとしていたのですけれど、実は海上自衛隊が海だったというわけです。

飛鳥　なるほど。しかしあの事件は、自民党にとって逆に追い風でしたね。

「テロに負けないで」「応援しているわ」「私は選挙に行かないつもりだったけれども投票に行って、自民党と書きます」みたいな雰囲気がありました。安倍元首相への同情票が集まりましたね。

選挙期間中、テレビはずっとこのニュースばかりでしたからね。選挙当日まで自民党応援スペシャルが放映されていたようなものですよ。これ、逆におかしいと思いませんか。

山口　では、暗殺は自民党の自作自演だということでしょうか。

飛鳥　いや、インターネットでもいろいろ言われているけれど、安倍元首相は実は死んでいないという噂が広まりましたよね。

山口　生きているんですか。

飛鳥　クライシスアクターとして有名な宮本晴代さんが、現場に現れていたという話もあります。

安倍元首相が爆風を受けて、2発目の銃声がなり終わった後、安倍元首相は乗っていた台の上からジャンプして降りました。YouTubeからは消されましたが、ツイッターでは見られる動画では、このとき、安倍元首相はなぜか左腕をずっと見ていたそうです。その後、0・

３秒ぐらいの間、左腕の脇にある何かを見ていた。生きた状態でね。左を凝視していたが、何かの装置があったということになります。

それから、倒れた後に上から撮られた写真では、なぜか左側に赤い液体がパンパンに入ったチューブがあり、そのあたりをガサガサやっている女性がいて、それが宮本晴代さんだというのです。彼女がそのチューブを押していたと。

山口　もし生存説が正しいとしたら、安倍さんはこれを機会に引退したかったんでしょうか。

飛鳥　一つの考えとして話しますが、ケネディ暗殺のときも、確か急に遊説のコースを変えたんですよ。安倍元首相のときも、急に奈良へコースを変えたんですよね。おかしいでしょう。犯人とされる山上徹也容疑者は、近鉄大和西大寺駅の次の駅に住んでいたんですよ。

山口　そうですね。

飛鳥　山上容疑者の住むすぐ近くへコースを変えたのは前日でしたから、本来ならこんな偶然はありえませんし、あのケネディ暗殺のときもそうでした。もしこの後、この山上容疑者が牢屋の中で亡くなりでもしたら、ケネディ暗殺のときと全く同じことになります。

山口　ロス疑惑とも同じですね。三浦和義は留置所で自殺したとされていますが。

飛鳥　一緒でしょう。そうなったらバックにアメリカがいるとしか考えられないですよ。

山口　アメリカが安倍さんを死んだことにして、自民党を選挙で勝たせようとしたということですかね。

飛鳥　もちろん、生存説が事実ならそれもあるかもしれません。同情票狙いでやったという指摘は無下に否定はできません。弔い合戦として、インターネットの勢いがすごかったですから。

山口　さらに外国の脅威を煽って、防衛費増額コース一直線という感じでしょうか。

飛鳥　私はそれより前に、警察権力が強化されると思っています。安倍元首相が暗殺されたのは、ＳＰや警察のシステムが貧弱だったせいということになるんですよ。するとするとと、警察に莫大な予算がつぎ込まれて、権力も監視能力も一気に強まるんです。

こんな事件が続いてありましたよね。電車内で人を切りつけたうえで放火した事件もそう。あそこにいたのは全員、クライシスアクターでしょう。日本の場合のクライシスアクターは、だいたい在日シンジケートの回し者なんです。東京のアメリカ大使館と関わる在日シンジケートがあり、アメリカは自由にチョイスして集めることができるんです。

山口　だとすると、日本語を話す人たちではないんですか？

飛鳥　日本語を話しますよ。だからずっと日本にいるわけです。在日朝鮮人のリストは、韓国の青瓦台《チョンワデ》（＊韓国の大統領府）が持っているわけ。

山口　よく聞く話なんですけれども、友達や恋人が亡くなって、身元を調べたらそんな人物は存在しないというケースがあるそうですね。

飛鳥　ありますよ。実際、身分証明書なども簡単に偽造できますから。

繰り返すようですが、霞ヶ関の上層部は日本人ではないんです。

今、警察庁が考えているのは、Aという人物が犯罪を犯したら、その友達のBも逮捕できるという仕組みです。アメリカは、すでにこれをやっていますからね。

アメリカは、刑務所を民間企業が運営しています。民間企業なので利益を優先する、つまり儲けなくてはいけない。そのための企業努力として、犯罪者を増やさないといけないので、警察と手を組んでいるんです。軽犯罪でも次々と逮捕して、刑務所に放り込むという。そして、何回も保釈しては何回も逮捕していきます。犯罪者は、金の卵をもたらす資源と同じなんです。

アメリカは今後、警察も民営化しますからね。

するると何が起こるかというと、例えば、テスラが小型衛星を利用する高速インターネット接続サービスをウクライナで提供し、専用の送受信機も供与するということをしていますが、他国の戦争に民間が関与しているということになります。

あれは、大統領の命令も議会の許可もないですからね。民間の企業が堂々と戦争ができる時代になったわけですよ。

警察が民営化すれば、逮捕など勝手にできるわけです。むちゃくちゃな時代ですね。大統領のアカウントだって潰せるんですから、Facebook のほうが強いんですよ。

山口　国家より企業が強いんですね。

飛鳥　そうです。アメリカではそんな時代が到来したんですよ。日本でも、警察権力が強くなってきて、戦前戦中の特高警察を思い出します。

山口　戦争前の特高警察ですね。

飛鳥　それを復活させようとしている動きがあるんですよ。安倍元首相の暗殺をきっかけにね。

一気に警察への予算が増えて、特高警察の復活です。怪しいと思ったらすぐ引っ張れるようになります。

山口　ジョーカー事件の後、電車の中にカメラが設置されてきているのも、クレームがつけづらい風潮になっていますからね。

飛鳥　そうですね。安倍元首相の件でそういった動きに拍車がかかり、一気に桁違いのことが起こるでしょう。

山口　安倍晋三氏の暗殺というのも、始まりに過ぎないんですね。日本が本格的にアメリカ化するための一歩というわけですか。

飛鳥　もうどうしようもないでしょう、あとは中国、ロシア、アメリカ、イギリスで、どれだけこの国からむしり取るかという段階に入っていますから。日本人は全部殺してしまえという計画をしています。

山口　全員ですか。

飛鳥　もう殺されているんですよ、おおぜいがワクチンを打っているから。

山口　そうですね。「日本人奴隷化計画完了」ですか。

「日本人奴隷化計画完了」後に起こる「最後の神一厘」とは

飛鳥　もう終わったと思っていますけれどね。でも最後の一厘でひっくり返ります。ひっくり返るんですよ。

山口　首の皮一枚で繋がったというところでしょうか。

飛鳥　例えば、東京のアメリカ大使館がなくなるとかね。そのぐらいのひっくり返り方です。東京で直下型地震が起こったら、おそらくアメリカ大使館はなくなるでしょう。

今、業界では震度10の地震の話が出始めています。

山口　そうなんですか。

飛鳥　震度7までが限界なのに、震度10の地震が東京直下で起こったら、大使館もそうですが国会議事堂、自民党本部も一瞬で潰れるでしょうね。

ただ、最後の神一厘がある――日月神示ではグルンとひっくり返ると言っているぐらいだから。

山口　そうですね。ちょうど2022年7月7日に何かが起こると日月神示で言われていたんです。何も起こらなかったから予言が外れたなと思っていたら、次の日、安倍さんが殺されましたからね。いよいよ大難が来るのかなと思いましたよ。

飛鳥　もし安倍元首相が生きていたとしたら、どこへ行くんでしょうね。

山口　アメリカですかね。

飛鳥　アメリカは本当に想像を絶するようなことを平気でしますから。旧ソ連の科学者を亡命させた後、あらゆる出生証明書から何から全部用意するんですよ。顔も整形して、全くわからなくする。言葉のイントネーションや性格的な癖も変えるなど、全く違う人生を始めるためのトレーニングを徹底的にやるんですよ。

オバマ元大統領のときもそうでした。彼はアメリカで生まれていませんから。

山口　インドネシアですね。

飛鳥　出生証明書から何から、全部きれいに揃っているんです。大学にもテストの点数の記録も全部あるのです。それなのに、オバマ元大統領のことをキャンパスで見た人は誰もいない。

それでトランプ（当時）大統領候補は、「お前は本当にアメリカ人なのか」と言ったわけですよ。そのトランプを口封じしたのが、バックについている連中です。

山口　ディープ・ステートですね。

飛鳥　だから、安倍元首相一人ぐらいアメリカならなんとでもしますよ。もちろん、この話は一つの説に過ぎず、狙撃されたのが事実の場合、やったのは山上容疑者ではなく、ビル屋上の仮設テントから超高圧エアーライフルと凍結弾を使った元自衛隊か現役のスナイパーとなります。山上容疑者は安倍元首相を爆音で振り向かせるための囮《おとり》で、手抜きのセキュリティをやった奈良県警も協力した節《ふし》がある。

実は安倍元首相は、狙撃の可能性が高いとするアメリカ大使館の忠告で、無観客で強行開催した「東京コリアンピック２０２１」の開会式をドタキャンしています。大会組織委員会名誉最高顧問だったにも関わらず、開会式を天皇陛下一人に任せてトンズラした理由は、国立競技場に行けばスナイパーに暗殺されたからです。

安倍元首相は、李氏朝鮮の李垠《イ・ウン》と梨本宮の方子《まさこ》の間に出来た安倍晋太郎氏の子で、李氏朝鮮の血と天皇家の血を持つことから、戦前、長男の李晋（安倍晋太郎氏）を病死と偽り、半島からの暗殺者を避けるために山口県の名家・安倍家に実子として押し付けた経緯がある。

その情報を、戦後のＧＨＱが嗅ぎつけ、アメリカの傀儡の自民党総理候補としてアメリカ大使館（極東ＣＩＡ本部）が育てていきました。

ほとんどの日本人は、安倍元首相が旧統一教会の宣伝塔と信じることをせず、地元の山口県では殿様として崇められていました。

安倍元首相は、天皇家にアメリカ大使館（極東ＣＩＡ本部）が企てていた、現・上皇に押し付けた同じ李氏の秋篠宮に皇位を継がせることに協力する計画でしたが、生前退位・譲位で失敗、仕方なく皇室関係の女性を民間の在日の男と政略結婚させ、ＣＩＡが陛下を政府専用機のボーイングの墜落で崩御させた後、「女性宮家設立」を緊急事態で法案可決させ、元は皇室にいた女性の皇籍復帰で皇族となる夫を皇位継承権で天皇にして、朝鮮民族が日本を完全制覇する段取りでした。

一方、安倍元首相は最大勢力の清和会を継承、その絶対数で第三次安倍内閣を樹立、圧倒的議席数を占める自民党の力で法改正し、ＣＩＡの協力を得て永久総理大臣（日本の王）として君臨することになっていました。

全てアメリカの筋書き通りですが、一億総白痴で茹で蛙と化した日本人には訳のわからない話です。

山口　そうですね。今はアメリカのいいようにやられていますよね。首の皮一枚になった今の状態で逆転の手があるとすれば、神一厘の奇跡しかないんですよね。

それには、日本人が目を覚まして、在日の人たちも日本人のいいところには共感してもらって、みんなが手を携えてこの国を盛り上げていこうという気持ちになることが大切です。

そのとき、本当の日月神示が発動して、大逆転があるのかなと思います。

飛鳥　２０２１年は丑年で、２０２２年は寅年でした。この両方がまたがったときに出てくるのが、艮《うしとら》の金神ですよ。

山口　東北の方角からね。

飛鳥　あれは方位だけを表すのですかね？　丑と寅の時間は？

山口　丑は時間にすると真夜中、まさしく丑三つ時ですね。

飛鳥　ある意味、今は丑三つ時かもしれない。そろそろ、艮の金神が表れ出る。毎年1月14〜15日に神意を占う「諏訪大社　下社春宮」の筒粥《つつがゆ》神事ですが、2023年の「筒粥神事」は、やはり最悪の〝三分五厘〟で、主《あるじ》から絶たれる〝三行半《みくだりはん》〟が2018年から連続6回に達したことになります。

実は2022年の筒粥神事は、条件付きの〝三分六厘〟で、実質三分五厘に神一厘の技が加わる示唆でした。

その条件が天皇家の獅子身中の虫だった安倍元首相の暗殺で達成されますが、実質は三分五厘は変わりません。

一方、諏訪湖の湖が凍り、上社の建御名方命《タケミナカタノミコト》が、下社で妻の八坂刀売命《ヤサカトメノミコト》のもとに通う御神《オミ》渡りが無い事態が、2019～2023年で連続5回に達し、これで筒粥神事の三分五厘の六と、御神渡り無しの五の「五六合わせ」が2023年に出来上がり、諏訪湖に封印されている巨大な龍神がいよいよ出てくる準備が整ったことになります。

2022年は諏訪の二社四宮に四本柱が立つ御柱祭《おんばしら》が行われ、コロナ下だったとはいえ、巨大なモミの木が大型車で運ばれ、二社四宮全てに陰陽二匹の龍神の各々八本首が立ったのです。

これは巨大な龍神の八岐大蛇《ヤマタノオロチ》を意味し、夫の建御名方命は西の「出雲大社」に、全国の神無月《かんなづき》をもってても帰還が許されず、東に走るしかない。

一方の妻の八坂刀売命は妻で陰なので、西に走ることが許されます‼

そんな2023年7月8日、「諏訪大社上社本宮」の北緯35度と同じ緯度に鎮座する東京の「浅草寺」の「浅草寺本堂」で異変が起きました。

天井に近代日本画の巨匠・川端龍子の描いた「龍之図」（縦6・4メートル、横4・9メートル）

が、天井から破れるように剥がれてしまい、見た目にまるで「龍神」が天井を突き破って出てきたように見えます。

東に走るしかない龍神も、「鹿島神宮」「香取神宮」の地震封じの「要石」が邪魔で、東京に出てくるしかない示唆と思うと、２０２３年は、１９２３年9月１日に東京を灰燼にした「関東大震災」のちょうど〝百年目〟に該当します‼

仮に２０２３年の五六合わせを無事に乗り切ったとしても、２０２４年は龍が姿を現す「辰年（龍年）」となり、２０２５年は大蛇の「巳年」となり、日本人への最大の「呪詛」は終わらない……。

山口　すると、ＧＨＱが一生懸命封印してきた日本の太古の神が、蘇るということですか。

飛鳥　蘇ったら大変ですよ。なにしろ艮の金神は破壊神だから。

山口　そうですよ。必ずしも我々日本人の味方とは限りません。

飛鳥　限らないね。祟神《タタリ》かもしれない。これはコロナワクチンより怖いよ。

山口　牛の神、牛頭《ごず》天王かもしれないですね。

飛鳥　牛頭天王といえば祇園祭り。牛頭天王は須佐之男命《スサノオノミコト》の別名とされ、須佐之男命は「海神」でもあり、八岐大蛇も海から上陸してきますから「巨大津波」といえ、同時に須佐之男命は、「雷神」「破局（地震）神」「黄泉（大量死）の神」であり、それから、牛といえば変異型プリオンたんぱく質で脳が溶ける狂牛病と完全に一致してきます。

山口　そうですね。

飛鳥　御柱祭といえば、申年と寅年のときしかやらないでしょう。申年といえば猿、偶然とはいえサル痘も発生していますね。やはり２０２１年も、感染症がきつかったよね。
　そして、東京直下型地震も否めません。南海トラフ地震だけでも数百万人は死ぬと言われているから、直下型が来た日には……。

山口　そうですね。東京なんか津波で一発アウトでしょう。

飛鳥　ただし、日月神示が発動すれば、復活できるということです。
人間だけではもう無理ですから、人の力ではないものによるのでしょうね。

山口　つまり、神ですか。

飛鳥　ここまで完全にアメリカに支配されてしまったら、人間ではひっくり返せないでしょう。ひっくり返せるとしたら、神的なチャージがないといけないね。

山口　実際にあいつらが一番恐れているのは、日本人の中に残っているYAP遺伝子の発動です。それは、神と繋がる遺伝子ですから。
逆転の一手を打つためには、YAP遺伝子を発動させるしかありません。そうすれば、何か恐ろしいことが起こると思います。

そうして、ガラガラポンで世の中が日本中心に一気に変わってしまうんじゃないかな。

飛鳥　艮の金神が出てきたら、アメリカなんかどうしようもなくなってしまうでしょうね。

山口　アメリカ自身が艮の金神を一番恐れていて、大和民族を在日シンジケートと旧統一教会と半島系創価学会で封印しましたからね。

飛鳥　どちらにせよ、神一厘が出てくるのは間違いないですね。超弩級《ちょうどきゅう》の龍神が出てきますよ。

パート3

私たち大和民族に定められた使命

ルフィ一味のバックに潜む大物

山口 話は変わって、オレオレ詐欺のルフィ一味についてうかがいたいのですが。

飛鳥 フィリピンに潜伏していた奴らですね。

山口 ルフィ一味が起こした事件は、日本中で数十件あったと聞きました。

飛鳥 判明しているだけでね。実際は、もっと多いらしいですよ。

山口 100件以上、200件ぐらいはあるんじゃないかと。
公に訴えられない人たちがたくさんいるんですね。脱税の絡みとか。

飛鳥 でしょうね。

山口　泥棒された品専門の持ち込みリサイクルショップとかも被害にあったり。そういう表に出せない金を持った人らが襲われているらしいですよ。

飛鳥　裏では、政治家とも関連があったりするんじゃないかな。おそらく自民党系だと思いますけれど。

山口　ありえますね。悪事を働いている自民党の末端の連中の金を盗むとかね。そこのみで言えば、ルフィは義賊でもあったわけですね。

飛鳥　本来ならドミノ倒しで、旧統一教会のときみたいに炙り出される恐れがあるでしょうね、彼らにとってみれば。

山口　そうですよね。どこまで攻め込めるかです。ルフィの背後には、大ボスがいるらしいんですよ。僕の取材によると、大ボスはカタギのようで、とはいえ、反社会組織のトップの息子なんですよね。自分の手下には、逃走中の反社とか半グレとかを使っているんです。

飛鳥　なるほど。在日と統一教会と一体化する自民党の大物国会議員の身内の線もありえます。

山口　結局、反社と政治家は繋がっていますからね。だから捜査打ち切りということになるんでしょうね、また。

飛鳥　どう考えても、一悪党がやれるレベルじゃないですよ。

山口　違いますね。

飛鳥　絶対にバックに、組織を束ねている奴がいる。

山口　そうなんですよ。それが真のラスボス。50代前半のカタギで、そのカタギという立場を逆に利用しているんですよね。

飛鳥　政治家が絡んでいると、途中で話が消えてなくなってしまう。絶対安全圏です。なぜなら警察庁長官を任命できるのは内閣総理大臣で、国家公安委員会が任命しますから、自民党の裏のドンなら簡単なことです。

山口　間違いないでしょうね。

飛鳥　サッカーとか、野球とかのスポーツなど、みんながワーッと熱狂するものをぶつけて、意識と目をそらしてきますから。

これ、一番最初に成功したのがビートルズなんですよ。

山口　ビートルズですか。

飛鳥　来日したのが１９６６年で、安保改正でもう日本中が大変な状態になっているときでした。アメリカがイギリスにお願いして、破格の値段でビートルズを日本に呼べるということになったんです。ほとんどタダ同然で呼んだんですよ。

みんな、ビートルズにワーッと頭が行っちゃったから、日米安保改正がすんなり収まったというわけです。

山口　大事なことからは目をそらさせるといういつもの手段。

飛鳥　もちろん。これがアメリカのやり方ですからね。

みんなでワーワー騒いでるうちに、あっという間に裏でいろんな法案が通っちゃうんです。

山口　ルフィ問題もさっさと終わると。

飛鳥　いつのまにかささっと終わるんです。統一教会問題は、結局、場違いなような文化庁に丸投げして、うまいことごまかしていますよね。

山口　ごまかしましたね。

飛鳥　一応、自民党と統一教会は離婚したことになっています、表向き。でもこれ、完全な偽装離婚なんですよ。

山口　なるほど。

飛鳥　自民党は公明党と連立しているというかたちになっていますけれども、本当の連立相手は統一教会なんです。骨の髄まで一体化していますから、今さら切り離せないんです。

山口　もう自民党が潰れて崩壊してくれる以外に、方法がないじゃないですか。

飛鳥　事実、それしかないです。それ以外の方法はないんですよ。今、誰が総理になっても叩かれますから、岸田首相に全部任せてしまえというかたちで他に総理のなり手がいないわけです。

山口　岸田さんも何もしない人ですよね。

飛鳥　だからアメリカには都合がいいんですよ。

山口　操り人形としてはちょうどいいと。

飛鳥　見事なまでの操り人形です。

日本はアメリカの人工ウイルス「COVID-19」の散布実験場だった⁉

山口　ちょっと話題を変えますけれども、気球がアメリカに飛んできたというニュースがあったじゃないですか。

飛鳥　今さら風船かっていう感じですが、あれは意外と近代兵器なんです。

山口　中国にも飛んでいました。

飛鳥　あれも、何らかのやらせっぽいですね。自分で打ち上げたやつを自分で落としているという気がするんだよね、アメリカ製だと言って。

山口　その可能性はありますね。

飛鳥　だって、風向きから考えておかしいでしょう。

山口　その割には逆ギレして怒っていましたね。私が聞いた話では、日本にも2、3年前に飛んできている。

飛鳥　あったあった。わかっているだけでも2回あります。2020年6月に宮城県から福島県上空、２０２１年９月に青森県八戸市上空に浮かんでいました。

山口　鳥インフルエンザのウイルスが入っているんじゃないかという説があります。人に感染するような鳥インフルエンザウイルスを撒いて、日本が苦しくなったら、ほら、中国から解毒剤を買わないと、という風にやられるんじゃないかなと思っていて。

飛鳥　確かにそういう説はあります。でも考えてみると、ウイルス系をばら撒こうと思うと、高度２００～５００メートルぐらいからじゃないとだめなんですよ。

山口　そうですよね。

飛鳥　１０００メートル以上になってくるとどこかに飛んでいっちゃう。高度２００メートルぐらいで日本中にばら撒いたのは、アメリカ米軍機です。

山口　米軍機ですか。

飛鳥　貨物機、いわゆる軍用輸送機です。あれで日本各地の上空２００メートルで、２機編制で何かを空中散布していました。

山口　いつ頃ですか。

飛鳥　２０１８年ぐらいかな。それ以降から、コロナが出てきたんですよ。２０１７〜２０１９年にかけて、日本はアメリカの「ビル＆メリンダ・ゲイツ財団」が遺伝子操作で創らせた人工ウイルス「COVID-19」の散布実験場でした。

アメリカ本土でも「ケムトレイル／chemtrail」で使われるアメリカ軍輸送機「C-130 Hercules」が、敵地攻撃高度２００メートルを、戦闘機や爆撃機でもない２機編制で、何の前触れもなく日本の市街地を飛び回っていたんです。

山口　なるほど。

飛鳥　みんな忘れているでしょうが、ダイヤモンドプリンセス号で感染者が出た頃に、公的機関が発表していたんです。日本人はすでに、コロナウイルスに最低でも2回や3回感染していて、免疫を持っていると。

だから、日本でアメリカ軍が、後に登場する遅延死ワクチンの撒き餌となる軽い毒素の「COVID-19」の人体実験をしていたことになります。

山口　日本がいつも実験台にされちゃいますね。

飛鳥　プエルトリコと同じなので。

山口　そうですね。

飛鳥　プエルトリコでは枯葉剤、ダイオキシンが撒かれたでしょう。考えてみたら、アメリカから見れば日本とプエルトリコは同じアメリカの自治領なんですよ。

山口　いいなりになるという意味で。

飛鳥　それもあるし、システム的に自治領になっているようなものですから。だから、日本人を使った人体実験なんか、アメリカにすれば当たり前。許される範囲なんです。

山口　なんせ、黄色人種は猿扱いですからね。

飛鳥　彼らは、日本人を黄色い猿とかバナナとか言っていますから。

山口　黄色人種が死んでも、人間以外の動物が死ぬのと同じような感覚でしょう。

飛鳥　これもみんな忘れちゃってるけれど、新型コロナに感染しても赤ちゃんや幼児は全然平気だったんです。

山口　はい。

飛鳥　これ、おかしいでしょう、あらためて考えてみたら。毒素がないということになりますから。

山口　有名人がよく亡くなるじゃないですか。以前より、亡くなる頻度が高くなっている気がしています。

飛鳥　バタバタ逝きますね。宝塚歌劇団も公演が難しいほど酷い状況に陥っています。

山口　猪木さん、円楽さん、他にも。やはり、3回以上打つと危ないという話をよく聞きます。

飛鳥　今度、アメリカが日本人全員を打たせるために自民党に指示をして、ＣＤＣ（＊Centers for Disease Control and Prevention　疾病対策〈予防〉センター）を作らせますから。それと、国民総背番号制の、マイカードね。

あれが、健康保険証と合体するでしょう。運転免許証とも合体でしょう。

山口　そうです。

飛鳥　要は、持たなかったら生活できないような仕組みにしちゃうんでしょうね。

山口　持たざるものは生きられない。

飛鳥　その中に、ワクチンを接種したかどうかのデータも入るのです。接種していない者を日本版ＣＤＣが洗い直し、強制接種に追い込むつもりです。

山口　そうなるでしょうね。

飛鳥　他にも、いろいろと規制を押し付けてきますよ、自民党はね。

山口　本当に悪魔の手先ですよね。

飛鳥　そうなんですよ。もう、完璧にそうなっていますよね。というか何だろう。敏ちゃんの場合はたまたまちょっと体を壊したときがあったので、打たずに済んだんですよね。

山口　まあ、打っていないんですよ。

飛鳥　セキルバーグはしばらく、俺のXをけっこう見に来ていたので、彼もそれで打っていないですよ。でも、ほとんどのオカルト作家、研究家は打っています。

山口　打っていますね。

飛鳥　もう、オカルト雑誌も出せませんよ。オカルト研究家、スピリチュアリストも含めて、けっこう打っていますから作家がいなくなる。それこそ、グレートリセットだよ。

同業他社が消滅するので我社はチャンスとも言えるのでしょうが、やっぱり寂しくなるというのか。複雑な思いがしますけどね。

ファイザーの副社長兼ワクチンを開発した医学教授が実際に言っているのですが、3年目ぐらいから「遅延死ワクチン」の正体が明らかになってくると。要するに、亡くなる人が日本では1億近くなりますから。

山口　日本人の死亡率がどんどん増えているんですよね。こんなことないですよ。

飛鳥　ないない。原因は自民党なのに、彼らは知らぬ存ぜぬ。

山口　そうです。コロナが原因というわけでもないんですからね。

飛鳥　それはそうでしょう。だから全てにおいて数字というのは恐ろしい。

もちろん数字は嘘を言わなくても、詐欺師はその数字を巧妙に利用しますから。

２０２０年12月27日、全米トップクラスの医学エリート校「ジョンズ・ホプキンス大学」

の応用経済学修士プログラム・アシスタントプログラムディレクターのジュネーブ・ブリアン女史が、新型コロナウイルスのパニック劇を正確なデータで否定し、それを大学のネットで日曜日に公開する出来事がありました。

それに『COVID-19死亡　米国データを見てください』のタイトルを付け、ウェビナーの「CDC／疾病管理予防センター」のデータを使用し、COVID-19のアメリカの死亡者数が嘘だったことを正確な数値データで証明してみせたんです‼

彼女の発表の肝は明快で、毎年、全米で死亡する老人の数と2020年のコロナ禍で死亡した老人の数が、ほぼ同じだったことを数字で証明してみせました。

例えば2018年までの老人の死亡原因のTOP3は、1位　心筋梗塞を含む心臓病、2位　誤飲を含む肺炎、3位　インフルエンザ肺炎で、新型コロナ禍の老人の死亡原因TOPは当然のこと新型コロナ死だが、それ以外の理由の老人死亡者数は大激減していて、驚くべきことに全体で見ると、全米の老人の死亡者数は例年とほとんど同じだったのです‼

彼女はこれを「CDCトリック」として批判し、従来の老人の老衰を含む死者数のほとんどをコロナ死としてカウントしていると非難しました。
その直後、大学側が彼女の公表を削除、その理由を「このデータを悪意ある何者かに悪用されないため」としたが、どう考えても理由になっていない。トランプ前大統領を敗北に導いたアメリカのDS（ディープ・ステート）を支配するロックフェラーが大学に凄まじい圧力をかけたと思われます。

山口　そうですね。

ロシアに核を撃たせたい白い悪魔

山口　アメリカの大統領戦についてうかがいたいです。

飛鳥　前回の選挙については、私は完全に不正選挙だと知っています。

山口　はい。

飛鳥　選挙の票数を、簡単にコントロールできるんですよ。有名な話が、ゴアとブッシュ・ジュニア戦。ゴアは最後まで踏ん張っていたでしょう。票数がおかしい、もう1回調べろと言って。ブッシュ・ジュニアは、弟がフロリダ州の知事だったから、その州は天王山だったんです。

ここだけがインターネットで選挙をしたのですが、ゴアはここで負けたんだよね。だけど、何らかの操作で、数字が入れ替わるというのがバレたんです。

その選挙システムのソフトを作った製作会社「ITストラテジスト」のマイケル・コネルが、「コンピュータ投票の端末をミラーサイトから介入した」と公言した後、不審死しています。

山口　じゃあ、次の大統領選挙も何かあるんですか？

飛鳥　次回は完全にネットを使うんでしょうね、最終的な集計も含めて。これ、日本にとってものすごく大事なことなんですが、日本の横田基地にも関係するんです。あそこにはNS

Aの極東本部がありますから。

山口　そうなんですか。

飛鳥　それで、docomo も au も Softbank も、重役陣が横田詣でをしているんですね。これをエドワード・スノーデンが暴露しています。

山口　なるほどね。

飛鳥　そして、携帯の使用者のリストを全部、NSAに渡しているんです。そのことにより、エシュロン（＊アメリカ、・イギリス、カナダ、オーストラリア、ニュージーランドの５か国で共同運営されている通信傍受システム。電話、無線、Eメールなど、各種データ通信を傍受して、NSAが情報の収集と分析を行っているとされるが、米国アメリカ政府はその存在を認めていない）が、日本中での通話を全部、傍聴できるようにしているんです。

日本のそうした通信会社は、全て国賊です。国民を裏切っていますから。

つまり、NSAが関与しているアメリカの大統領選挙も、当たり前のように票数などを操作できて、バイデンを勝たせることができます。

山口　また民主党が勝つということですか？

飛鳥　あんまり露骨にならないように、適度に演出するでしょうけれどね。

ただ、トランプはこう言っているんです。ウクライナ侵攻が始まったときに、「俺が大統領だったらウクライナごときはロシアにくれてやる」と。

もちろん、他国に侵攻しているロシアを肯定はできませんが、トランプが大統領だったらこんな戦争にはなっていなかったでしょう。バイデンだからこういう状況になっているんです。

２０２３年８月３日、共和党の大統領指名候補ＴＯＰのトランプ前大統領が、首都ワシントンの連邦裁判所に出廷したのも、ウクライナの戦いを長引かせたいバイデン側に味方するＤＳの企みと見て間違いありません。

山口　確かに、本当に長きに渡って解決の糸口も見えていないような状況ですものね。

飛鳥　ウクライナにも、気球がいくつも飛んできていますからね。それを、一つ数千万から1億かかる迎撃ミサイルで撃ち落としているでしょう。低額のドローンに対しても同じで、それらの欧米の最新兵器購入の総額と利子の連帯保証人が日本になっている仕組みは、自民党も公表しませんしマスゴミも報道しません。

山口　そうなんですね。

飛鳥　とにかくロシアはウクライナに対し、高性能のミサイルを浪費させたかったのではないかということを言う日本の軍事専門家もいますけれども、そうではないと思います。
　風に乗って漂うだけのただの気球ですが、あれで風向きを調べている可能性があります。特に首都キエフ上空に現れる気球はただの風船ではないでしょう。

山口　風向きですか。

飛鳥　はい、広島と同規模の戦術核兵器を落としたときの、風向きをいつも調査しているんです。

山口　なるほどね。

飛鳥　ウクライナのオデッサにも気球が上がり始めたら、ロシアはいよいよやる気になったと思っていいでしょう。

山口　つまり戦術核。

飛鳥　そのための準備段階です。

山口　じゃあそうなったら、もうウクライナはロシアに従属するしかないですね。

飛鳥　もちろんそうなるでしょう。実は、ロシアに核を撃たせたい奴らがいるんです。それがイギリスとアメリカです。

山口　核を撃たせたい……白い悪魔ですね。

飛鳥　グレートリセットとか、ニューワールドオーダーとかいうワードは、だんだんと知られるようになってきましたが……正体はそんなものではありません。

山口　よく言われていますね。

飛鳥　要は、グレートにチェンジする。世界中のシステムを全てガラッと入れ替えるということです。イギリスとアメリカが昔から一体なのは、ロスチャイルドとロックフェラーはハム系クシュの猛悪王ニムロドの末裔で、ロックフェラーはロスチャイルドの傍系だからです。

アメリカが原子爆弾をマンハッタン計画で開発していましたが、あれには実は、イギリスの物理学者が相当入り込んでいたんです。

チャーチルがアメリカに開発させようとしていましたが、当時のルーズベルトは全然乗り気じゃなかった。そんなものはできるわけがないと言って。それで、イギリスが無理やりアインシュタインやシラードを動かして押し切ったんです。

その後は、イギリスとアメリカだけで世界を統一して支配する密約もできていました。このチャーチルとルーズベルトの密約はすでに公表されています。

要は、世界はイギリスとアメリカだけでよく、他の国は全部必要ないという底意が見え見えの密約でした。

そのパワー・ブローカーがアメリカとイギリスを動かしウクライナを支援させ、世界もウクライナに巻き込んでからロシアに核を先制させる企みです。

すると「第三次世界大戦」がヨーロッパで勃発しても、全てプーチンの狂気が生んだ人類の悲劇として演出できるわけです。

山口　ロシアに核兵器を使用させるなんて、とんでもないことですね。

飛鳥　ドイツのマークをつけた戦車「レオパルト2」がロシアと併合した地域に入って来た

ことにも、プーチンは怒っていますよね。再びナチスが攻めてきたことになりますから。それで、ロシアとＥＵの対立が激化し、アメリカとイギリスの世界統一に邪魔なドイツやフランスなどが「第三次世界大戦」で打撃を受ければ、イギリスとアメリカは万々歳なわけです。新しい国際秩序に、英米以外の国は必要ありませんから。

山口　なるほど。

飛鳥　おかしいでしょう。ＥＵをすでに離脱しているイギリスが、真っ先にゼレンスキー大統領に会いに行って武器を援助しますと言ったんですよ。

だから、他のＥＵ諸国も仕方なく、イギリスに追随するかたちで援助し始めた。それでゼレンスキー大統領はもっともっと最新兵器をくれと言うわけでしょう。戦車が欲しいと言ったとき、またぞろイギリスが最初にイギリスの戦車「チャレンジャー２」を提供しますと言い、他の国も仕方がないから戦車を送ることにしました。

要は、ＥＵを抜けたはずのイギリスと、アメリカが裏でＥＵを崩壊させたがっている。ロシアにＥＵを破壊させようとしているんです。

ＥＵが潰れたら、それこそ大義名分をかかげてロシアを徹底的に叩けばいい理屈になります。

そして、ロシアが先に核を使えば、中国も安心して日本に核を使えるんです。

ロシアが核を使ったからといって、アメリカがロシアに核兵器で応戦するかと言えば、そんなことやるわけないですよ。第一にアメリカ議会が許しません。

ということは、戦術核兵器については、先にやったほうが勝ちという理屈になるわけです。

山口　わかりますよね。

飛鳥　中国が先に核を使っても、アメリカは中国に核戦争をやるだけの勇気がないことが露呈するわけです。

中国は台湾が欲しい。でも核を台湾に落とすわけにはいかない以上、尖閣諸島強奪で必ず出てくる日本に対し、台湾に恐怖を煽る意味でも、日本に戦術核兵器を落とす可能性が出てくるでしょう。

もうすぐ米軍がほとんどいない日本になる!?

山口　ロシアが北海道を取って、琉球を中国が取るという動きが活発になってきているとか。

飛鳥　最近、そんなふうに分析する人たちも出てきましたね。

そして、沖縄の嘉手納にある米軍の戦闘機が、そろそろいなくなりますよ。48機全部いなくなります。

山口　撤退ですか。

飛鳥　逃げちゃうんです。もうすでに始まっているんですね。

日本にいる海兵隊の５０００人がまず、グアムに撤退しましたし。残り４０００人がハワイとアメリカ本国に撤退します。

山口　そうすると日本は。

飛鳥　日米安保条約なんか機能しません。元々、どこにもアメリカが日本を守るなど記されておらず、ないも同然でしたし。核の傘なんかも、同盟する小国を守るためアメリカが全面核戦争の危険を冒してまで使わない以上、ただの象徴に過ぎません。

自民党は、ずっと平和ボケの日本人を騙してきましたが、ここにきてアメリカに日本だけで自国を守れと言われているわけです。もうすぐ米軍がほとんどいない日本になり、中国は安心して核が落とせる状態になります。

英米はそのために、一刻も早くロシアを追い詰めてウクライナに向け核を使わせたいんです。

山口　そして、中国にもということですね。

飛鳥　要はこういうことです。ロックフェラーが手に入れたい日本列島から、不要な日本人を中国が消し去ってくれた後、怒りに燃えたアメリカが、正義の騎兵隊として日本人の仇討ちに中国を叩き潰すというハリウッド映画顔負けの演出をするわけです。

アメリカは、第一列島線の九州、長崎あたりは完全に諦めています。東京を含む、第二列島線まで攻められたときに、中国を叩けばいいとしているようです。これで日本と中国の両方を一緒に消せることになります。

残るのはロシアだけで、インドはパキスタンとのカシミール問題にＣＩＡが火を付けるだけで、二国間で核戦争を勃発させ、両方一緒に片が付くことになります。

イギリスのロスチャイルドと、アメリカのロックフェラーだけで世界を完全に支配する。その後、アメリカ軍とイギリス軍が遅延死ワクチンでバタバタ死んでいく。生き残るのはロスチャイルドとロックフェラーと5億人のおとなしい奴隷だけ。それがグレートリセットです。

みんな、ウクライナかわいそう、私たちはウクライナの味方ですと言っているけれど、テレビなどを通して完全にコントロールされています。

山口　ウクライナに生物兵器研究所があるのも問題ですよね。

飛鳥　しかも、23箇所もあるのでロシア軍は一気に空爆できず、ゆっくり進行するしかありませんでした。

つまり、ウクライナ戦争そのものがアメリカのロックフェラーとイギリスのロスチャイルドによるフェイクなんです。

山口　ウクライナに、核はいつ頃落ちると思いますか？

飛鳥　イスラエルの強行右派連立政権が暴走して、アメリカの言うことを聞かずに「第三神殿」を嘆きの壁の上のイスラムの聖地に建設しない限りは、おそらく、ドイツのレオパルド2がドイツの十字を描いたまま、ロシア領内に入った段階で落とすかもしれません。

要は、イギリスの最新長距離巡航ミサイル「ストームシャドウ」が効力を発揮し、アメリカの「F―16」戦闘機がロシア軍の防衛線を次々と「ナパーム弾」や「クラスター爆弾」で破壊し尽くせば、プーチン大統領も我慢の限界に達し、背に腹がかえられないと踏み、戦術核兵器をウクライナのキエフとオデッサに落とすことになるでしょう。

山口　なるほど。

じゃあ、国内の反プーチン勢力の革命の動きと核兵器、どっちが先かということですね。

飛鳥　革命なんか起きませんよ、ロシアでは。もともと、アメリカのフェイクですから。逆にプーチンの支持率は上がっていますよ。不平を簡単に口にするアメリカ人と違い、ロシア人はアメリカ人に比べて打たれ強いし我慢強いですから。

山口　なるほど。

飛鳥　バイデンがドイツの尻を蹴っ飛ばして、無理やりレオパルド２をロシアに向かわせようとしたのは、ドイツがバイデン大統領のいうことを聞かなかったからです。

そして、みんながウクライナ劇場に完全に気がいっている裏で、実はトリックスターがいろいろと画策していますから。そのほうが怖いね。

山口　なるほどね。

気球問題とエイリアン

山口　話を気球問題に戻しますが、気球がカナダの上空を飛んだことに関して、パイロットが言っていたセリフがあるんですよ。

「あれは気球じゃないな。何だろう、車と同じぐらいの大きさだけれど。とりあえず、コンテナと言っておこうか」みたいなことを言っているんです。

飛鳥　最初に落とされた気球のことね。確かにコンテナ大の太陽光パネルを2基吊り下げていましたからね。

山口　一部のUFO研究家の中には、それはUFOで、エイリアンがそろそろ介入を始めたんじゃないかという人たちがいますね。

飛鳥　ホワイトハウスは必死に、というかワザとらしくエイリアンではないと否定していますよね。

山口　そうですね。中国の気球に紛れて、エイリアンが何かを仕掛けようとしているとも考えられますよね。

飛鳥　実はこれ、非常に軍事的なことなんですが、高度18000メートルまで上がる気球なら、普通なら撃ち落とせないんですよ。その高度まで行ける戦闘機は少ないので。でもたまたま、その高度に耐えきれる高度まで上がれる「F22ラプター」という戦闘機があったので、AIM-9X「サイドワインダー」ミサイルで撃ち落とせたんです。中国は風で流されただけとうそぶいていますけれど、どう見てもアメリカのいわゆるICBM、大陸間弾道ミサイルを発射する基地を次々とジグザグに通っているんですね。

山口　まるでスパイをやっているような。

飛鳥　そう。ところが、核兵器専門部隊から言わせると、とてつもなく大きいというんですね。核容器のカプセルを吊り下げて飛ばせるくらいなんですよ。

高度が高いから影響がないだろうと思うと大間違いで、そのカプセルを炸裂させると火球がバッと上がると同時に、凄まじい電磁シャワーが局部的に照射されるんですよ。そうなると、地上や海上、さらに空の半導体は全部、焼き切れちゃうんです。

山口　パルス攻撃ですか。

飛鳥　はい、そうです。このほうが実は被害が大きくて、おそらくミサイルはもう、発射できなくなります。システムそのものが破壊されていますから。

山口　中国が考えている攻撃というのは、パルスシステムでしょうか。

飛鳥　というか、ものすごく原始的なものなんでしょうね。風船を飛ばすことについては、日本が最初に「太平洋戦争」でやったんですけれどね。偏西風を使って、ジェット気流に乗せた風船でアメリカを攻撃したやつです。中国はそのままパクッたわけです。

高度１８００メートルだと、高高度で本来の戦闘機なら攻撃できないので、その高さからカプセルを炸裂させれば、直接核ミサイルは落ちなくても、アメリカの電磁システムを局部的に破壊することが可能なんです。

山口　では、気球騒ぎにエイリアンは関与していないのでしょうか？

飛鳥　中国に関する限りはそうですね。もっと言うと、これは発表されていませんが、ハワイ沖でも落とされているんです。

どっちにしましても、気球がどこ製かということが実は問題です。エイリアンが飛ばしたものという説が、ネットでも流布されていますよね。

山口　そうですね。

飛鳥　気球は、１回上げればヘリウムが抜けない限りは延々と地球を回り続けるんです。一種の衛星ですよ、あれは。

みんな、風船って馬鹿にしていますけれども、落ちないでいれば同じところをずっと通過していくんです。

だから、例えば10年前に上げた気球がまだ飛んでいる可能性だってあるわけです。

山口　エイリアンの動きとしては、まだ静観している状態でしょうか。

飛鳥　エイリアンのような知的生命体は、風船なんか上げないでしょう。

山口　では、エイリアンが地球を観測したり、関与することがあったりすることを、全部カミングアウトするというのはあと数十年くらいは我慢でしょうか。

木村秋則氏が見せられた終末のカレンダー

飛鳥　数十年もかからないですよ。

『奇跡のリンゴ』で有名な、農家の木村秋則さんは、エイリアンに捕らえられたときに彼らからカレンダーを示されて、それが2032年で終わっていたんですね。もしそうだとしたら、イエス・キリストの年齢と符合してくるんですよ。

山口　と言いますと。

飛鳥　本当なら、世界は1999年の第7の月で滅びていたはずなんですが、それに、イエス・キリストの生涯年齢、33歳が足されて2032年になったという説があるんです。最後の救いの時間が追加されたので。その追加期間でだめだったらもう完全にアウトみたいな。木村さんのお話とリンクしてくるので信ぴょう性がある、という話になっています。

木村さん曰く、アメリカに連れ去られそうになったことが何度かあるみたいで。

山口　木村さんがアメリカに？

飛鳥　はい。アメリカの多国籍バイオ化学メーカー「モンサント（現・バイエル）」に命を狙われていたようです。そんなこともあったためか、周りからのガードが固くてね。だから僕とは会えないんです。

山口　なんでですかね。

飛鳥　わからない。しかし、モンサントが狙ったのは「奇跡のリンゴ」の基礎的データとされ、ＣＩＡが付け狙ったのは木村氏が登場したＵＦＯと連れていかれた先の世界のデータでしょうね。

ですからおそらく、山口敏太郎が行っても会うのはだめだと言われるかもしれない。

山口　ところで、山本太郎さんについてはどう思いますか？

飛鳥　彼も、時々僕のXを見に来ますよ。

山口　そうなんですか。

飛鳥　一応私も、フォローしましたけれどね。最近、政治家との接触がけっこう多くなったんです。実は、日本の政界の奥の奥の内情を暴くというのをシリーズでやる計画ですけれど。

山口　それは、自民党勢力の人ですか？

飛鳥　自民党関係は逆に、飛鳥さんと日本をなんとかしたいという自民党系外郭団体からのお誘いがどんどん来ているのですが、申し訳ありません全部お断りしています。
　それから、国会でも問題になった、自民党で出回った文書のことをご存知ですか。

山口　何かあるんですか。

飛鳥　ざっくり言うと、こういう内容です。日本がどうなってもどうでもいい。日本人の財産がデータとして残されていれば十分だという。要は、海外資産も含めて日本人が持つ財産さえ確保されていれば、日本人が全て死んだとしても問題ないという意味です。

だから、日本が中国の核兵器で焦土と化し、遅延死ゲノムワクチンで殺されたりして日本人がいなくなれば、全ての資産は凍結され、基本的に自民党政府の管理下に置かれちゃうんです。

その後、米日併合になります。ハワイ王朝が消えたハワイ州のようにね。これ、実はもう20年前から決まっているんです。

日本の国土も含めて、全ての日本人の貯金を含む資産、日本企業の社内留保や海外資産も全部アメリカに献上するのが自民党の役目なんですから。

この文章を著したのが(故)安倍晋三氏で、自身の『回顧録』(小学館)にこう記されています。

「国が滅びても、財政規律が保たれてさえいれば、満足なんです!!」

ここに李氏朝鮮の末裔が企てていた策謀の一端があり、それは遅延死ゲノムワクチンで1億近い日本人が消えた後の、天文学的資産データを確保しておきたい安倍元首相の本性が垣間見えています。

山口　なるほど。

飛鳥　彼らは個人個人で特権階級として生き残ればいいわけで。自分たちだけは、最終的にはアメリカに庇護されると信じています。

有楽町に行くと、外国人記者（特派員）や外国人ジャーナリストのために設けられている日本外国特派員協会（＝外国人記者クラブ）というビルが建っています。

そこのレストランには、アメリカ大使館から進呈されたという、きらびやかな金糸で織られたアメリカの国旗「星条旗」が堂々と掲げてあるわけです。

そこに、ある仕事で行ったときにびっくりしたのは、ハワイ州の星のところが富士山になっているんです。

もうすいぶんと前から、アメリカは日本をハワイ州と同じに考えていたということです。日本列島をアメリカに併合するつもりでいたんです。

山口　驚きますね。

飛鳥　自民党はそれを、アメリカの傀儡政党として忠実に守っているわけです。だから、ゆうちょも銀行も、日本人の個人財産は、日本企業の総資産も含めて全部アメリカに献上します。後は自民党が調印すれば、すぐに併合が成立します。

山口 だから、そのシステムを阻止する方法はないんですか。

飛鳥 ないんです、もう。詰んでいますから。ケンシロウが言っている通りです。お前はすでに死んでいる、なんです。

遅延死ゲノムワクチンについては、日本人の2千万人近くが打っていないと聞いています。この2千万人というのが、非常に微妙な数なんですが、確か台湾の今の人口が2千万人ぐらいでしょう。あと、ニュージーランドもそうですよね。

山口 そんなものですね。イギリスが4千万人ぐらいでしたか。

飛鳥 ニュージーランドはほぼ日本と形が同じで、四国がないくらいの面積の島です。羊のほうが数が多いと言われていますからね。

ニュージーランドが2千万人で維持できていますから、日本もそれくらい残れば大丈夫でしょう。引きこもりの２００万人以上もいますし、少ない接種数の人でデトックスをした人は最悪の状況だけは脱するかもしれません。

最後の神一厘に、エイリアンは関与してくるのか

山口　とはいえ、これでエイリアンも手を出すことができなくなって、日本人奴隷化計画が完了してしまうんでしょうか。

飛鳥　最後の最後でひっくり返されるという話ですよ。ロスチャイルドとロックフェラーの思惑は、最後の最後に天皇陛下と大和民族によってひっくり返されるという預言がありますから。

とにかく、天皇陛下が生きている限り大和民族は大丈夫なんです。

山口　今の天皇ですか。

飛鳥　はい、徳仁《なるひと》陛下です。最悪、愛子様さえいればなんとかなる。最後の神一厘が残っていれば、アメリカとイギリスはグレンとひっくり返されちゃうんです。

山口　最後の神一厘に、エイリアンは関与してきますか。

飛鳥　関与してきます。ざっくり言えば、天皇家の味方をしてきます。彼らは同じ大和民族ですから。いわゆる「失われたイスラエル10支族」の末裔がヤ・ゥマト（ヤハウェの民のヘブライ語）のエイリアン（異邦人）となります。

山口　結局、日本人の8割が死ぬという予言は、今回の注射によって成し遂げられるということですか。

飛鳥　そういうことです。いわゆる蘇民将来の預言です。

「古丹《コタン》という豊かな連中が不信心の結果ほとんどが疫病で死に絶えて、蘇民《ソミン》というわずかな信心深い人たちだけが生き残る」という預言が蘇民将来です。つまりそれは、この民は将来蘇るという意味で、全てが死に果てないという預言なんです。

山口　飛鳥先生は、とりあえず日本人が徹底的に追い込まれる大峠が目前にあるというお考えですよね。

飛鳥　そうですね。おっしゃる通り、大和民族の大峠です。８割近くがいなくなった後は、残った者にお任せくださいと言うしかありません。

山口　そうですね。

ワクチンの害をリセットする方法

飛鳥　ただ、イベルメクチンというのが効くかもしれないという話が出回っています。会社の命令で仕方なく接種した人や、今になって接種したことを悔やむ人は、一か八かの最後の賭けでイベルメクチンを服用してください。

山口　日本の企業のワクチンが効くという話がありますよね。

飛鳥　逆に、効くから危ないんですよ。

山口　効きすぎるという感じですか。

飛鳥　ええ、飲み薬のワクチンが一番危険です。筋肉注射より危険度が高く、飲み薬は直接消化器系から血管に入りますからね。むしろ、ファイザーとかモデルナよりもリスクが高いと思われます。

山口　では、体内に入ってしまったワクチンの毒というのはどうやったら抜くことができますか？

飛鳥　基本的には方法はないと言われているんですが。イベルメクチンは、どうも浄化力を一気に上げていく力があるそうです。これは40年以上前に日本人の大村智博士が静岡県伊東市のゴルフ場の土壌から放線菌（S. avermectinius）という微生物を発見し、１９７３年から米国メルク社と共同研究を行い、１９７９年にこの放線菌が生産する抗寄生虫薬「エバーメクチン」及び、その誘導体である「イベルメクチン」を開発しました。

第三諸国や開発諸国では万能薬だと言われるぐらいなんです。特にアフリカでは、昔からずっと使われ続けています。

山口　それが、特効薬になりうるということですか？

飛鳥　あくまでも可能性ですが、なりうると思いますね。可能性はゼロではないと思います。

実はこれ、日本では動物病院が1番ストックしているんですよ。基本的には同じものを動物にも使用していますから。

哺乳類には、抜群の力を持っている。

それは今、ネットでも買えるはずです。これを定期的に服用していると、自動的に血液が浄化するといいます。アメリカでは、この薬にすがっている人たちがけっこう多くいるみたいです。

それと、高濃度ビタミンCにも可能性はあります。

癌の専門医によっては、癌を治すには高濃度ビタミンCしかないと言っている人もいるくらいですから。

山口　高濃度ビタミンCについては、ベンジャミン・フルフォードさんから以前、聞きました。彼が、癌を治す方法を知っていると熱弁をふるっていましたね。

飛鳥　治っちゃいますよ。自民党は絶対に認めませんけれどね。

病院で扱っている高濃度ビタミンCは高額ですから、100円ショップに売っているビタミンCを毎時間飲んでいればいいんです。どうせすぐに尿と一緒に出ちゃいますが、つねに体内にビタミンCを入れておけば、体の中がビタミンCだらけになりますからね。

ビタミンCを飲むと、尿がたくさん出るのですが、それは血液の中の不純物をどんどん排出するからなので、少なくとも浄化にはなります。

東京にも、数軒だけ専門の病院があるんですけれどね。もちろん、その方の体調や病状によって変わってきます。もともとビタミンC自体には、全く害がないわけです。

私の感覚では、1時間に1回ぐらいビタミンCを溶かした水を飲み続けるぐらいで、高濃度ビタミンCを摂るのと同様になると思います。

山口　私の身内も癌になりましたので、癌の治療方法に関してはずいぶん調べたんです。高濃度ビタミンC療法も試しました。それを点滴でやるとコストが高いですが、飛鳥先生が言われていたように、安いビタミンでもかまわないのでしょっちゅう飲む、それが一番ですね。

私たち大和民族に定められた使命

山口　我々日本人の味方をしてくれるエイリアンというのは、今どこにいるのでしょうか？

飛鳥　アルザル（英語　アルツァレト）にいます。大和民族を守るために、いよいよとなったら地球内部から出てきますよ。

山口　日本人と同じDNAを持っているのでしたね。

飛鳥　そうです、日本人と同じYAP遺伝子を持っているんです。最後の最後、神一厘のラストエンペラーを守るために、地球内部の亜空間に存在する小天体アルザルから大軍を率いて地上に帰ってきます。そのとき、世界がグルンとひっくり返るんです。

山口　出口王仁三郎系の神々がそう言っていますよね。

飛鳥　そうそう。だから、国体である天皇陛下さえ守っていれば、世界も救われるんです。そもそも、グレートリセットというのはロスチャイルド、ロックフェラーが追い詰められているからやろうとしている苦し紛れの暴挙に過ぎません。

山口　そうですね。

飛鳥　実はね、何度も言いますが、世界金融システムというのを支配しているのは、ロスチャイルドなんですよ。銀行がお金をどんどん吸い上げて、最後はロスチャイルドに金が入るシステムなんです。

国際通貨基金、ＩＭＦというシステムの本拠地はスイスに置かれていますけれども。それを作って支配しているのはロスチャイルドですね。

ロックフェラーは、ドルを基軸通貨として、輸出入でA国からB国へ資金を動かすだけで、アメリカはマージンを取ることができるんですよ。これまでもそうやってアメリカは私服を肥やしてきたわけです。

でも、今、まずはロックフェラーにとって都合が悪いことになっています。もう現在は、ネット通貨、デジタル通貨の時代に入っているため、基軸のドル札は不要になっています。

山口　そうですよね。

飛鳥　アメリカは、極力それをさせないように抑えていますけれども、もう無理です。デジタル通貨だったら、間にドルをはさむ必要が全然なくなるんですよ。ロシアが「ウクライナ侵攻」で西側の制裁を受けても平気なのは、膨大な食糧、原油、ガスを持つ以外に、この新しいシステムを使うからです。

　要は、世界を支配していたアメリカのシステムが、一気に終わるんです。そうなる前に、グレートリセットしてしまえということなんですよ。

山口　それが、グレートリセットですか。

飛鳥　そう。それで、だいたい3％の超富裕層が、97％の人々の利益をほとんど吸い上げちゃっているわけです。

山口　そのようですね。

飛鳥　ロスチャイルドとロックフェラーが、世界のほとんどの富と資産を握っているわけです。

以前は、中流層という人たちが大勢いましたし、一番貯金をしていた層ですが、もうそれも新自由主義とグローバル経済でいなくなっているんです、今はもう、世界中が芥子粒ほどの超大金持ちと、膨大な数の貧乏な人々だけになってしまった。

山口　それは言えますね。二極化が著しく進んでいます。

飛鳥　ロスチャイルドにとれば、もう、銀行なんか役に立たなくなったので、潰してしまえということなんですよ。アメリカでは、銀行の破綻の話が聞かれるようになりましたよね。

そんなシステム、どうせ終わるから、その前に大きなショックを与えて潰し、自分たちの天文学的な富を無能な連中に分けることがないよう、ゲノム遺伝子操作溶液を合法的に摂取させ殺してしまえと言うのがロスチャイルドとロックフェラーの企てです。
この二者が手を組んで、自分たちだけが生き残るシステムを考えた。それをこれから、やろうとしているというのが現状です。

山口　グレートリセットは、ダボス会議で話し合われた内容ですけれども、そのダボス会議にはプーチンも出ているんですよね。

飛鳥　そうですよ。だから、彼は全てを見抜いたわけです。

山口　じゃあプーチンも、この猿芝居の一役者ということですかね。

飛鳥　その猿芝居を利用して、奴らを滅ぼそうとしている……特にロスチャイルドを倒そうとしていると考えられます。
ポーカーをしていて、そのポーカーの元締めである親を倒すのがプーチンですよ。
日本は上がお馬鹿ですから、どんどん一緒について行こうという有様ですね。

この国の制度がそもそもやばい。まずアメリカが全てを支配していますから。

山口　そうなんですよね。

飛鳥　自民党の支配体制を崩すような勢力が出てきたら必ず潰す。それが難しければ、冤罪に貶めてでも潰しにかかる。誰が潰すかと言ったら、アメリカなんです。

そして、アメリカは、日本という龍のしっぽを完全に踏んじゃいましたから。

今、沖縄で埋め立てている場所をご存知ですか？　問題になっていますが。

山口　どこを埋め立てているんですか？

飛鳥　沖縄の米軍基地を移設するために今、辺野古を埋め立てていますが、Heはヤハウェで、その子の意味なので、V字滑走路とL字滑走路が案として出てきたわけで、V&Lはメイソンのシンボルです。

山口　沖縄の基地というと、嘉手納でしたよね。

飛鳥　さっきも申し上げましたが嘉手納からはもう、米軍はいなくなりますから。海兵隊もトンズラしますが、ごく一部の小規模の部隊を沖縄諸島に散在させています。

沖縄県は、当然日本領土ですよね。そして北海道を龍の頭にしたら、しっぽの先が沖縄です。そこの一番重要な所の辺野古を米軍が踏みつけたんです。それはやってはいけなかった。最後には、米軍は追い出され。アメリカも内部分裂して南北戦争時代に戻ります。

山口　内戦が始まるということですか。

飛鳥　当然です。州と州が戦争を始めます。共和党と民主党が互いに憎み合って戦争を始めるんです。

州軍も出動しますから重火器の機関銃や戦車も使われます。やってはいけないことをやってしまったからです。

山口　悪魔の子孫が牛耳っていますからね。しょうがないですね。

飛鳥　最終的に日本を救うのは、いわゆる天皇を中心とする皇祖神による神聖政治です。ユダヤの三種の神器と契約の聖櫃アークが出てくるので、そうならざるを得なくなる。基本的には、日本には天皇を中心とする政治体制が一番フィットするんです。

山口　日本はやはり、歴史的に見ても一番争いが少なかった国ですからね。

飛鳥　そうです。だからアメリカとかイギリスは怖いんですよ、日本人が。

山口　不思議な国民性が怖がらせるということでしょうか。特質からしても、日本人は虫の声を聞くことができますからね。アメリカ人だったら雑音にしか聞こえないと言いますから。

飛鳥　おっしゃるとおり。言葉一つにしても、ものすごく豊富で、たくさんの使い方が日本にありますから。

山口　そうですよ。そういった意味でも、日本民族には残ってもらいたいと思います。僕は前に、「宝島」の原稿を書いたんですが、それに関連して調べていたところ、結局、ウイルスが流行ると文明が滅びるんですよ。

飛鳥　それはそうでしょうね、確かに。

山口　じゃあコロナで日本の文明が滅びるのかなと思ったら……。

飛鳥　実はコロナは無害なんです。せいぜい風邪程度。だって子供も死なないんだから。

山口　ワクチンで滅びる。

飛鳥　そういうことです。ワクチンという名のゲノムウイルスで滅びるんです。ビル・ゲイツが創らせました。

山口　なるほど。ビル・ゲイツは、学生時代から、人口削減はウイルスでやるのが一番効率的だとか言っていましたよね。

飛鳥　そうです。そういうことです。

山口　悪魔のような奴ですね。

飛鳥　ルシフェルの化身でしょう。そいつらを使っているのが、ロスチャイルドとロックフェラーという怪物です。

山口　本当にエイリアンが来て、天罰を下してくれたらありがたいんですけれどね。

飛鳥　最後にはそうなります。もうちょっとの我慢です。
旧約聖書の中に、人々が平和だ、安全だと言っているときに突然滅ぼされるという文章があるんですね。それからは、ワクチンを接種した人が、これで平和だ、安全だと言っていることが連想されます。

また、ヘブライ語で「ヤマト」と言えば、絶対神ヤハウェの民という意味なんですね。そこで言えるのは、『旧約聖書』を作ったのも『新約聖書』を作ったのも、大和民族である日本人だということです。

ですから、そこに書いてあることの多くは、日本で起きることと僕は解釈しています。


生き残った日本人が神一厘の仕組みで世界を救う。

とにかく生き残らないと何もできません。これは重要ですよ。

生き残るためにできることは、とにかく今の日本をモーゼの末裔の陛下と共に建て直す、それが私たち大和民族に定められた使命なのです。

あとがき

サイエンスエンターテイナー／飛鳥昭雄

「旧統一教会」の正体を本当に知っておかないと、在日系が支配する自民党に再び煙に巻かれて騙されることになるため、最小限のことを知識として知っておかねばならない。

「旧統一教会」の教祖・文鮮明は半島生まれだが、「日韓併合」で日本にやって来て「早稲田高等工学校電気科」に入学、その後、日本敗戦で半島へ戻り、１９５０年６月に「朝鮮戦争」が勃発、１９５４年５月１日に「世界基督教統一神霊協会（旧統一教会）」を半島で興すことになる。

１９６８年１月13日、下部組織として反共産主義をかかげる「国際勝共連合」を設立、同年４月、日本でも同団体を設立した後、冷戦下の１９７２年にアメリカのニューヨークにも拠点を置き、反共の姿勢が強烈な文鮮明の姿が「ＣＩＡ」の目に留まり、「国連」の場で２度演説し、当時のニクソン大統領がホワイトハウスに招いている。

その勢いを駆って、1973年11月23日、渋谷区松濤の「旧統一教会本部」で、安倍（李）晋三氏の岳父の岸（李）信介（元）首相と長時間会談するが、その場で「GHQ／連合国軍最高司令官総司令部」の「WGIP／戦争についての罪悪感を日本人の心に植え付けるための宣伝計画」で足並みを揃える同士として意気投合、岸が文鮮明を「最も尊敬する一人」と語り、東京の「アメリカ大使館（極東CIA本部）」と連携して、「自民党」と「旧統一教会」の統合が諮《はか》られた。

1989年7月4日、文鮮明は、CIAの依頼で、李氏朝鮮の皇太子として日本の皇室と繋がった李垠《イ・ウン》の子、安倍（李）晋太郎氏の支援に入っていく。

安倍（李）晋太郎氏と同じ、朝鮮系の国会議員が占める「清和政策研究会（清和会）」とタイアップし、「国会内に教会をつくる‼」「国会議員の秘書を教団から輩出する‼」計画を推進、それを次々に実行し、「自民党」と「旧統一教会」は地方を含め「国際勝共連合」を介して骨肉まで一体化していく。

だから、「旧統一教会」を「自民党」から引き剥がすことは絶対に不可能で、「自民党」に「旧統一教会」が協力するようなレベルではなく、「旧統一教会」のメンバーが「自民党」の国会議員、地方議員になっているのが実態だ!!

文鮮明は、岸（李）信介（元）首相と同じ李氏朝鮮の安倍（李）晋太郎氏の地盤固めに「旧統一教会」が在日朝鮮人を総動員し今に至る最大派閥「清和会」を、当時の段階で議席数13から88に大幅アップさせている。

その多くが在日朝鮮人で、「通名制」で日本名を名乗り、茹で蛙化していく日本人有権者を次々と騙し、日本の地方の「自民党岩盤層」を次々と形成、特に老人層を完全に取り込んでいった。

なぜ文鮮明が日本の国政に深く関与したかは歴然で、李氏の末裔の岸（李）信介（元）首相から続く安倍（李）一族を巨大化し、国会を「旧統一教会」が統一、つまり、「旧統一教会」が〝日本の国家宗教〟になるのが文鮮明の悲願だった。

安倍（李）晋太郎氏の死後、跡を継いだ安倍（李）晋三氏は、2006年の官房長官時代に、「旧統一教会」関連団体の全国大会に祝電を送り、同年、内閣総理大臣に上り詰め、「アメリカ大使館（極東CIA本部）」が目指す、「韓国＋コリアJAPAN＋北朝鮮」の三位一体で極東を安定させ、その原動力を日本人の奴隷が重労働で朝鮮民族にお返しするというのが、「ハンギョレ（一つの民族）システム」である。

そのためにも「旧統一教会」の文鮮明の立ち位置はアメリカにとって都合がよく、北朝鮮の平安北道定州郡で生まれたため、1991年には北朝鮮を訪れ、平壌で北朝鮮最高指導者の金日成と手をつなぎ合って会談し、北京でも、「私の勝共思想は共産主義を殺す思想ではなく、彼らを生かす思想、すなわち人類救済の思想」の声明文を発表したが、何のことはない、「国際勝共連合」とは、日本の茹で蛙を騙すための方便だった。

韓国、コリアJAPAN、北朝鮮を股に掛けた文鮮明は、1990年4月11日、ソビエト連邦の最高指導者ゴルバチョフとクレムリンで会談、「アメリカ大使館（極東CIA本部）」にとって非常に都合がいい男だった。

一方、安倍（李）晋三氏は最大派閥の「清和会」を在日の細田博之氏から引き継ぎ、一気に第三次安倍内閣に向けて始動、有権者の圧倒的議席数で日本人に君臨する王、つまり「永久総理大臣」になる矢先、2022年7月8日、日本にとって獅子身中の虫は氷結弾で消え去った。

同時に山上徹也被告によって「旧統一教会」の実態が暴かれることで、茹で蛙の日本人は、ようやく「自民党＝旧統一教会」まではわからずとも、「自民党＋旧統一教会」までは見えたようだが、人の噂も75日で、「文化庁」に「旧統一教会」を任せ切りですでに忘れようとしている……。


前述の通り、日本の「神道」を韓国の「旧統一教会」と入れ替える計画だった文鮮明は、2012年9月3日、肺炎を患い92歳で没したが、韓鶴子《ハン・ハクチャ》が跡を継ぎ「旧統一教会」を支配、天皇徳仁《なるひと》陛下の崩御を、首を長くして待っている。

とにかく「アメリカ大使館（極東ＣＩＡ本部）」は、文化庁による「旧統一教会」の宗教法人取り消しだけは許さないだろうし、創価学会の「公明党」も己に跳ね返る事態だけは避けるはずで、穏便に済まそうとするだろう。

仮にそうなれば、この国の自治権など何処にも存在せず、全てアメリカと在日シンジケートが支配しているとわかるだろうが……、茹で蛙にはわからないかもしれない。

著者プロフィール

飛鳥 昭雄（あすか あきお）

1950年大阪府生まれ。アニメーター、イラスト＆デザインの企画制作に携わるかたわら、漫画を描き、1982年漫画家として本格デビューする。
漫画作品として、『ネオ・パラダイムASKAシリーズ』（ワン・パブリッシング）、作家として「失われた八咫烏の古史古伝『竹内文書』の謎」（ワン・パブリッシング）、小説家として別名の千秋寺京介の名で『怨霊記シリーズ』（徳間書店）を発表している。
現在、飛鳥堂株式会社の代表取締役社長として飛鳥堂出版を立ち上げ『聖徳太子大全＜円規之巻＞』『聖徳太子大全＜曲尺之巻＞』『第三次世界大戦勃発』を発行し、サイエンス・エンターテイナーとしても、ＴＶ、ラジオ、ネットで活動中。

山口敏太郎（やまぐち びんたろう）

1966年徳島県生まれ。神奈川大学卒業、放送大学12で修士号を取得。1996年学研ムーミステリー大賞にて優秀作品賞受賞。西東社「日本の妖怪大百科」「せかいの妖怪大百科」は2冊まとめて21万部突破、著書180冊を超える。出演番組は「ビートたけしの超常現象Xファイル」「マツコの知らない世界」「おはスタ」「有吉AKB共和国」「クギズケ」など500本を超える。

山口敏太郎プロデュースニュースサイト「アトラス」
https://mnsatlas.com/
世界の陰謀や裏側の真相を暴く！山口敏太郎のメールマガジン「サイバートランティア」
https://foomii.com/00015
暴露、表で言えない激ヤバ情報のメルマガ！
山口敏太郎のサイバーアトランティア
http://foomii.com/00015
山口敏太郎公式ブログ「妖怪王」
http://blog.goo.ne.jp/youkaiou/

日本人《にほんじん》奴隷化計画《どれいかけいかく》【完了《かんりょう》の日《ひ》】

今《いま》こそ大和民族《やまとみんぞく》の使命《しめい》を識《し》り
白《しろ》い悪魔《あくま》を無力化《むりょくか》せよ

著 者　飛鳥《あすか》 昭雄《あきお》／山口《やまぐち》 敏太郎《びんたろう》

明窓出版

令和五年十一月二十日　初刷発行

発行者――麻生 真澄
発行所――明窓出版株式会社
〒一六四―〇〇一二
東京都中野区本町六―二七―一三

印刷所――中央精版印刷株式会社

落丁・乱丁はお取り替えいたします。
定価はカバーに表示してあります。

ISBN978-4-89634-467-7

世界終焉フラグ、消えず…。

教義や宗派の壁を超えるパラダイム・シフトで実現した新次元対談。

偶然性で理解することは不可能となった日本と古代ユダヤの共通性が示す謎の鍵。

神道に隠された天皇家の秘密は、新次元の対談を通じていよいよ核心に迫り、今後も世界終焉シナリオが続くという驚くべき可能性を示した！

天皇家とユダヤ
失われた古代史とアルマゲドン
飛鳥昭雄・久保有政
本体価格 1500円＋税